Past and Present

Chips Barber

Illustrations by

Andrea Barber

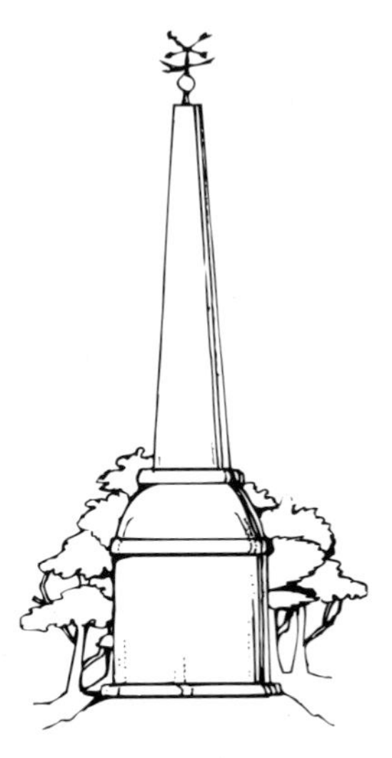

Obelisk Publications

OTHER TITLES OF INTEREST:

Sidmouth in Colour, *Chips Barber*
Short Circular Walks in and around Sidmouth, *Chips Barber*
Sidmouth of Yesteryear, *Chips Barber*
Topsham Past and Present, *Chips Barber*
Topsham in Colour, *Chips Barber*
Cullompton Past and Present, *Jane Leonard*
Honiton Past and Present, *Chips Barber*
Exmouth in Colour, *Chips Barber*
Exmouth Century, Parts I and II, *George Pridmore*
Exmouth of Yesteryear, *Kevin Palmer*
Along the Otter, *Chips Barber*
Walk the East Devon Coast–Lyme Regis to Lympstone, *Chips Barber*
Lympstone of Yesteryear, *Anne Scott*
The Story of Dawlish Warren, *Chips Barber*
Walks on and around Woodbury Common, *Chips Barber*
Around the Churches of East Devon, *Walter Jacobson*
Curiosities of East Devon, *Derrick Warren*
The Lost City of Exeter – Revisited, *Chips Barber*
The Great Little Exeter Book, *Chips Barber*
The Ghosts of Exeter, *Sally and Chips Barber*
Beautiful Exeter, *Chips Barber*
Colourful Dartmoor, *Chips Barber*
Ten Family Walks on Dartmoor, *Sally and Chips Barber*
Dark and Dastardly Dartmoor, *Sally and Chips Barber*
Ghastly and Ghostly Devon, *Sally and Chips Barber*
Devon's Railways of Yesteryear, *Chips Barber*
Ten Family Bike Rides in Devon, *Chips Barber*
Haunted Pubs in Devon, *Sally and Chips Barber*
Murders and Mysteries in Devon, *Ann James*
Place-Names in Devon, *Chips Barber*
An A to Z of Devon Dialect, *Chips Barber*

We have over 200 Devon-based titles. For a list of current books please send SAE to Obelisk Publications, 2 Church Hill, Pinhoe, Exeter, EX4 9ER. Tel: (01392) 468556

ACKNOWLEDGEMENTS

I would like to thank the following for their help:
Sheila Luxton, Peter S. Wharton, Rodney Gliddon, Norman and Judy Davey.

First published in 1998, reprinted in 2001 and 2004 by
Obelisk Publications, 2 Church Hill, Pinhoe, Exeter, Devon
Designed by Chips and Sally Barber
Typeset by Sally Barber
Printed in Great Britain
by Avocet Press, Cullompton, Devon

Sidmouth — Past and Present

Having already illustrated the very successful *Topsham, Past and Present*, my daughter Andrea looked for her next project; she decided that the town with the most 'interesting' buildings was the elegant and classy Sidmouth. This little book has been written, therefore, with a bit of licence, around the buildings she chose to draw. So here it is, a nostalgic look at 'Sidmouth, past and present'.

Former Sidmouth resident the late David Young, a popular television presenter through several decades, acknowledged that Sidmouth was "polite, civilised and the most pleasant of places in which to live, a town of 'old fashioned' values". You only have to look above the front of Field's store to read the words 'For Service as it Used To Be'. This just about sums up the many businesses of a resort where the mighty chain store hasn't obliterated all in sight, yet!

In 1901 John Field's store, housed in Waterloo House, was advertised in a guidebook as having "The latest Dresses, Mantles and Coats always on View". The advertisement added that "Household drapery of every description at the lowest possible prices" was available.

Opposite Field's is the Market House, built in 1929 and arguably the most important in the town, for it houses the public conveniences. The single narrow entrance/exit to the 'gents' has witnessed its share of sometimes critical short delays: those wishing to patronise the premises often can't get in when others are trying to leave! When newly built, the Market House was nicknamed 'The Dutch Greenhouse' by locals. There have been previous market buildings here on a site which has seen trading for many centuries.

Many years ago, during the town's carnival (always on a Thursday) it was a common sight to see a number of fairground stalls in the Market Square aglow with a thousand lights or more. At such times hordes of gypsies came to the resort, usually by train, each one carrying a large clothes basket full of small bags of white confetti, which they sold for a penny each. The carnival-goers then indulged themselves in a battle resembling a blizzard. Next day, the street sweepers had to brush up the resultant 'snowfall'.

This distinctive building occupies the corner of Old Fore Street and New Street. In the 1920s and '30s it used to be the Belle Vue Dairy belonging to the Martin family. At the festive season the Martins would place a rack, comprising four rails, outside and around the corner of their shop. Turkeys and geese were placed on the upper tiers whilst more modest 'fayre' was strung out on the lower rails. The whole of this impressive display was then illuminated with Christmas lights designed to catch the eye of the shopper. The annual ritual of erecting this demanded a concerted effort on behalf of the poulterers. On the eve of the display they would start to set it up at midnight;

it would take them almost until midday to get it finished. Before the 'home freezer age', butchers and poulterers had to prepare their own merchandise, and timing was all-important as 'Christmas' in those days did not begin as early as it does now! The backyard of the nearby Anchor Inn was where all the poultry were plucked; when the wind whipped up, there were feathers everywhere!

Sidmouth is, probably above all else, a seaside resort, but one that has avoided going down the road of allowing rows of amusement arcades and noisy electronic game palaces. It is a more conservative resort, relying on its 'natural' charms, ones which have been written about for generations. This is how an old guidebook, from a different era, waxed lyrical extolling Sidmouth's virtues:

This sunny little Devon town, which may, without flight of fancy, be likened to the home of a modern parallel of the Goddess Hygeia, stands in a perfectly ideal situation. It is located in the centre of beautifully wooded scenery, its south-front touched by the waters of a great bay stretching eastward from Start Point, on the extreme south coast of the county, as far as Portland Bill in the county of Dorset. Sidmouth nestles in an inner bay, between two great rocky formations of bright and varied tint, their caps clothed in brilliant green turf. Far away inland stretch lovely hills and fertile valleys, through which wind picturesque roads, lanes and streams, the flower-decked landscape basking for the greater part of the year in soft sunshine, or under skies whose tints and tones rival the variant glories of the Tropics. A Sidmouth sunset, with its ever-changing tints – gold, turquoise, crimson, emerald and violet – is a spectacle to linger in the mind for a lifetime. The whole region is one of delight, awakening a lively sense of joy and gratitude that the world has so fair a place...

In most parts of the town there lingers an old-world charm about the snug, comfortable, bow-windowed houses, the pleasant gardens full of flowers beloved by our grand-sires – the hollyhock, the sweet william, the lupin and the fuchsia, the vistas of noble trees, through which peep old family mansions or white thatched cottages embowered in jasmine or clematis.

These trim gardens constitute one of the town's chief charms. They are to be found almost everywhere-even in the heart of the place, and show by their precise and tasteful arrangement that long years of zealous care have been bestowed upon them.

In 1894, more than a century ago, Neil Macvean and Leonard Williams collaborated to produce *The English Riviera – A Guide to Sidmouth.*

In the preface they set the scene for a look at the resort and its multitude of merits:

I am lying on a terrace of shingle. The big red cliffs above me are crowned with grass as green, and flowers as gay as those of April. Can this be England in November? I bask in the rays of an unclouded sun, shining in a serene sky with the steady brilliance of summer. At my feet the surf murmurs gently over a slab of glassy sand, in curving lines of creamy foam. That surf rolls lazily in from an expanse of summer sea, whose horizon seems to reach up to the middle of the sky, where it meets a blue to match its own. The air I breathe has been filtrated over the rollers of Biscay: its intoxicating fragrance fills my lungs. Yet that sunny sky is English, that halcyon sea is our much maligned Channel. And I am within five hours of Pall Mall.

We have all seen November days like that in Sidmouth, but we have seen that same azure sea turn a more menacing shade of grimmest grey and wreak untold havoc with that same 'terrace of shingle', so perhaps we shouldn't get too carried away with such euphoria. However, their book evinces a picture of the resort at its best, and provides an image of how it must have been when Royalty often graced its mansion-like homes and fine hotels. The book opens up with more of the same poetic prose, but eases from November into the almost-night of a deep and dark December…

Is there a more habitable spot in Great Britain during the month of December? That is the question. Dare any one show his nose out of doors when he can help it, save perhaps the football maniac or fiery untamed street orator? Is there a nook or cranny of these islands that the fog has not enveloped, and the raw wind pierced into? I don't believe there is another. But this corner of the earth seems to smile perennially. The sun is bright, the air is pure and fresh in July; it is scarcely less bright, and little colder, in chill December.

Imagine a Salvation Army bonnet inverted and sloped downwards towards the south. That does not look like a valley. But let that bonnet be a matter of six miles long by two across; let its sides be two hog-backed Devonshire hills; trim the front of it with ruddy sandstone; and spread before it a majestic heaving bosom of blue-green, fringed with exquisite white foam-lace; and we shall be nearer the mark. In plain English our happy valley is a little seaside glen, tilted up to catch every ray of sunlight like a cucumber frame; furnished on three sides with natural draught-screens; washed by the English Channel at its widest; give it a local habitation on the south coast of Devon, place it in the deepest hollow of that broad and noble bay between the Start Point and Portland Bill, and, finally, name it the Vale of the Sid.

I think nature framed this nook for invalids. She scooped it out of the red sandstone to shelter us, turned it southwards for warmth and sunlight, had the ocean at hand for hydropathic purposes, painted the earth like a glorious Axminster carpet of vivid green to freshen tired eyes, and, lastly, planted her sanatorium a hundred miles from London for the sake of peace. London, at about 170 miles, is a bit farther away now!

Although it's possible to eulogise about the benevolent climate, there were still those who 'perished' here. In Sidmouth's parish church there is a commemorative plaque, placed by her loving husband, to Mary Lisle who died on 21 February 1791, aged 34. "And by her own desire lies buried here." Her epitaph also casts a shadow on the reputation of 'mild Sidmouth' as a health resort:

Blest with soft airs from health-restoring skies,
Sidmouth, to thee the drooping patient flies,
Ah! Not unfailing is thy port to save,
To her thou gavest no refuge but a grave,
Guard it mild Sidmouth and revere its store,
More precious none shall ever touch thy shore.

It is inevitable that even in the most benevolent climate we also get 'weather', and that can change not by the season but by the minute. Anyone who takes a holiday in one of Sidmouth's many fine hotels would be foolish to come unprepared for any meteorological combination of fine or fickle weather.

One of the differences in writing books like *Sidmouth Past and Present*, as opposed to holiday brochures designed to boost business, is that you can use straightforward – perhaps even bland – rather than flowery, prose. However, it is difficult to remember this when you gaze on the Kingswood Hotel. Run by the Sewards for over fifty years, the owners always create a fantastic summer frontage to this historic hotel; with window boxes in full bloom, it is a magnificent sight to behold.

In the days when wealthy invalids flocked to the resort, aided by retinues of staff, this was often a building to which they were brought because, formerly, it was the location of the renowned Brine Baths. Here there was a multiplicity of treatments bearing exotic names, which professed to alleviate all sorts of complaints in that 'pre-trades descriptions age'.

The resort's guide of 1885 had a sea-serpent for the letter 'S' of Sidmouth, and the front cover declared: "Sidmouth, South Devon, the Cradle of Her Majesty, the Resort of the Tourist, the Home of the Invalid". One could say it was also almost the East Devon home of homoeopathy, with various seaweed baths bringing relief and perhaps hope to many 'patients'.

The front cover of the 1922 guide to Sidmouth proclaimed: "Sunny Sidmouth, The Gem of Glorious Devon" and had this to say: *The Sidmouth Baths possess the unique provision of sea water drawn direct from the ocean for application, either cold or heated, by means of douches, whirlpool or aeration baths, or in Aix massage and immersion baths. Radiant-heat baths and other forms of electrical applications are available...*

Every facility calculated to minister to the comfort of invalids and to hasten their recovery is available in the town. Bath-chairs and other vehicles are to be obtained on the most reasonable terms.

However, most of the paying patrons are much healthier these days, and the building no longer has an array of exotic-sounding treatments.

Despite the cleverly written rhetoric of the guidebook gurus, the health-restoring properties of the climate of the lower Sid valley were not foolproof. Admittedly the death rate, so often cited in old guidebooks to encourage those wishing to 'dodge the bullet' for a while longer, showed that Sidmouth's death rate was lower than the national average. Around 12 people per thousand 'passed on' each year; occasionally some of those numbers were from the élite of high society…

In 1819 the fatal outcome of the Duke of Kent's visit to the resort was graphically reported in the press. The Duke, father of the future Queen Victoria, had fallen on hard times, but had been invited to stay at Woolbrook Cottage (now the Royal Glen Hotel), which took its name from the nearby stream. He arrived in reasonably good health, but left in a coffin. This is how the sad news was broken:

With deep concern we announce the death of His Royal Highness the Duke of Kent, which took place at Sidmouth, at ten o'clock in the forenoon of Sunday. His complaint was inflammation of the lungs, so violent as to baffle the utmost efforts of medical skill. His Royal Highness, in a long walk on Thursday night, with Captain Conroy, in the beautiful environs of Sidmouth, had his boots soaked through with the wet. On their return to Woolbrook Cottage, Captain Conroy, finding himself wet in the feet, advised his Royal Highness to change his boots and stockings; but this he neglected till he dressed for dinner, being attracted by the smiles of his infant, seven months old Princess [Victoria] *with whom he sat for a considerable time in fond parental play. Before night, however, he felt a sensation of cold and hoarseness, when Dr Wilson prescribed for him a draught composed of calomel* [a tasteless and colourless powder of mainly mercurous chloride used as a purgative] *and Dr James's powders* [pass!]. *This his Royal Highness, in the usual confidence in his strength and dislike of medicine, did not take, saying that he had no doubt but a night's sleep would carry off every uneasy symptom. The event proved the contrary.*

In the morning the symptoms of fever were increased; and although his Royal Highness lost 120 ounces of blood from the arms and by cupping, he departed this life … at ten o'clock on the Sunday forenoon. His Royal Highness was sensible of his approaching death, and met it with pious recognition. He generously said that he blamed himself for not yielding to the seasonable advice of Dr Wilson in the first instance, by which the access of the fever might have been checked. Every attention that skill and affection could supply were rendered to him.

But all this was to no avail; the 53-year-old Duke succumbed, just six days before his ailing 82-year-old father, 'mad' King George III, died from porphyria. The death of the King caused a lengthy delay to the Duke of Kent's funeral. For several years a black and white picture postcard was sold; it depicted the room and the cradle where Victoria slept. These postcards now turn up regularly at fairs where such collectables are traded.

The Royal Glen is now greatly enlarged; this building is a fine example of the style of architecture known as Strawberry Hill Gothic.

Not far from here, and on a much larger scale, is the Victoria Hotel itself, which advertised in the 1930s *Ward Lock Guide* as "First Class. Overlooking and close to Sea. Marine Shelter and private approach to shore. Near Baths and Golf. Lift to all floors. All Bedrooms fitted with H. & C. Water and Radiators. Phone 11". It was the first purpose-built hotel in the resort; although the good Queen never stayed here, some famous guests have graced its portal. As George Bernard Shaw (1856–1950), the Irish playwright, advanced in years he enjoyed staying in quality hotels. But, according to David Young in his television series *Cobblestones, Cottages and Castles*, he often had to use the fire escape from his room for the most unusual of emergencies: despite his advanced age, he still drew the attention of adoring females!

In the spring of 1981 the hotel featured in a television programme, made by the BBC, called *The Sidmouth Letters,* based on the writings of Jane Austen. This starred Jane Wymark and Philip O'Brien, and several scenes were filmed at the hotel.

Sir Henry Wood, he of the Promenade Concerts fame, orchestrated many a visit to the Victoria Hotel, having known and liked Devon well. He performed several times at the Pavilion in Torquay along with a host of other musicians. He is known to have enjoyed his stays at Sidmouth. It's sad to relate that the Pavilion has become a shopping mall: hardly music to the ears!

The Belmont Hotel is not only the neighbour of the Victoria, it is also the sister hotel. It was not built as an hotel, but as a family home complete with an impressive gateway, which carries a blue plaque.

The building, as a fine family home, housed a number of extremely wealthy and influential people, perhaps none more so than Mr Hatton-Wood, who, with his wife, did much for the local community in late Victorian times. Following a major fire in the town, in January 1902, the Town Council met to discuss the possibility of acquiring a new fire

appliance. However, with funds in short supply they decided that they could not proceed. Fortunately Mr Hatton-Wood was on hand to come to the rescue. Perhaps one should offer him a posthumous vote of thanks, for he had a particular interest in thatched properties, and saw to it that many were restored rather than replaced with something less attractive. The building became an hotel in 1921, and has been expanded and developed for that purpose.

In the early guidebooks to Sidmouth the phone numbers had a simplicity about them that no longer exists in this multi-digit 'communications age' in which we live. The following telephone numbers were listed in a world where the humble postcard did the work of the telephone, messages often being delivered the same day if they were posted early enough. See how much progress the zip-coded postal service has made! The hotels were at the forefront of telephone technology, and these were their first numbers: Knowle 5; Royal London Hotel 7 (at York Terrace); Victoria Hotel 11; Belmont Hotel 32; Fortfield Hotel 39; Royal York 43; Bedford Hotel 47; Torbay View 90 (the name is still etched in stone on the side of the building, which is now Abbeyfield Court); and Woodlands Hotel 12.

It wasn't many pages back that we saw how benign the climate of Sidmouth is, but things should be put into some sort of perspective, because, in certain conditions, the seafront is the last place to be. There have been many times, and books and videos can prove it, when the sea has breached the sea wall. These calamities bear no pattern and those who live on the seafront are often lulled into a false sense of security when months, and sometimes years, pass by without any such problems. Here is a newspaper report taken from Exeter and East Devon's evening newspaper, the *Express & Echo,* from 27 November 1924; similar accounts could have been written for any number of occasions, only the detail and personnel involved would have differed from an ongoing battle with the sea and its fickle moods.

A calamity has fallen on the pleasant little town of Sidmouth, which only a few years ago had to bear a heavy burden in carrying out sea defence works consequent upon the crumbling of the wall and esplanade on the western side of the sea-front in 1918 when a sum of £30,000 had to be expended in repairs.

This morning soon after five o'clock heavy seas from the south-east swept over the wall, smashed up the concrete, and carrying huge masses of the coping of the wall bodily across the roadway, while the sea in its mad rush swept into the town itself. From end to end houses were flooded, and at Marine Place water in the residences was as high as nine feet in the basements.

The Marine Hotel suffered similarly, and in the motor garage, where there were three cars housed, the water reached to the seats of the vehicles, doing considerable damage.

Throughout the lower parts of Sidmouth – known as the Eastern and Western towns, the flooding was extensive, and householders have experienced considerable damage, the like of which has not been known at Sidmouth in living memory.

There was not a terrific wind blowing, but coming at high tide the heavy seas from the channel swept into the town and did their work of destruction.

Hundreds of people visited the sea-front this morning, and the position was freely discussed. It was the unanimous opinion that the question of preventing further damage was practically beyond a town of the size of Sidmouth, and that the Government should be called upon to assist.

The rest of the story of Sidmouth's battle with the sea is long drawn-out and ongoing, with nature continuing to threaten and damage the beach and the Esplanade. In the early 1990s there were to be more headlines as the beach disappeared. Here nature took away vast amounts of shingle, exposing the front to the mercies of the sea. Many years ago contractors systematically plundered the stones for commercial uses, but although *they* could be stopped, preventing the sea from doing the same was a much tougher task. As an emergency measure giant boulders were brought from a Cornish quarry at Penryn. The press had a field day with the invasion of the continual lorry-loads of rocks. "Rolling Stones Draw Big Crowds at Sidmouth" and "Regency Resort Fears It's on Rocky Road to Ruin" being just two of many newspaper headlines to attract the camera and camcorder-toting brigade to the resort. However, there's no doubt that the amount of marine activity put many off staying in the resort at that disruptive time. Further enormous measures were taken in the following few years in an attempt to sort out the erosion problems.

The cliffs on both sides of the resort are unstable. In recent summers there has been amazement, and no small degree of disgust, shown at the folly of fellow human beings (or complete morons!) who have ignored the safety signs to visit the beach below the unpredictable cliffs of Salcombe Hill on the eastern side of the mouth of the River Sid. Here the cliffs had collapsed, and thus receded up to some 30 metres since 1928. There were many subsequent overhangs just waiting to shower the beach below in red rocks. In a potentially lethal situation some parents allowed their children to scramble on the base of these cliffs. The press carried a photo of someone attaching a sign to a barricade spelling out the danger whilst a beach devotee was climbing over it!

The high western side of Sidmouth has also taken a battering; in the first part of 1996 the winding coast road to Otterton was closed as these tall, majestic red sandstone cliffs further subsided. This caused considerable inconvenience to many locals until a new section of road was built to veer slightly inland farther away from the cliff edge. But the battle between land and sea continues even as you read this; the coastline is an ever-active interface, sometimes building and sometimes destroying, but always interesting to behold!

The wonderful Connaught Gardens, named after Queen Victoria's third son, the Duke of Connaught, and Jacob's Ladder are vantage points overlooking these problem areas.

Since 1934 they have provided a wonderful amenity: a sheltered floral oasis within earshot of the sea, but within target range of the seagulls!

Just beyond a cliff-top pill box, there are some twenty benches on this raised terraced walkway high above the beach. They are all facing south-westwards, and most are dedicated to the memories of those who loved just to sit here and gaze along the coast of strikingly red cliffs towards Ladram Bay and its enormous sea stacks. There are many more dedicated benches in the gardens and on the chine zig-zagging down to the beach below. It is a reflection of how much esteem Sidmouth is held in by those who come back time and again. This elevated spot is connected to the waters below by Jacob's Ladder which, if you knew your local history and were playing a game of word association, could quite legitimately be followed by 'H. G. Wells'. This great science fiction writer knew the spot well and used the setting for *The Sea Raiders,* one of his stories.

For those of you who seek refreshment there is, within these walled gardens, the excellent Clock Tower Café, whose building is shown in the drawing here, before the conservatory was added. Countless numbers of first-time visitors have stumbled, almost by accident, over this floral oasis, then have returned to spend some contemplative hours here in a state of blissful relaxation, that very special intoxicating drowsiness, caused by the Devonshire sea air. Perhaps they may like to know how such a colourful gem of a beauty spot, a once 'dark and dastardly place', became accessible to the general public…

'Sea View' was a large house set in high-walled gardens; until it was demolished locals felt unease, even dread, about this somewhat sinister and brooding place. Rumours abounded about events which had occurred here, of murder, imprisonment, and illicit passion, in a Victorian age when such things were kept as secret and shrouded in mystery as the occupants could achieve behind its concealing walls. But all those involved, implicated, imprisoned or simply made to suffer, have long since passed on; all that is left here is bright and beautiful, particularly in the pleasant warmth of a fine spring day, or in the height of summer.

Here is a newspaper article from 3 November 1934 that sheds more than a little light on its opening ceremony: *Arrangements made by Sidmouth Urban Council in connection with the dedication of Connaught Gardens at Sidmouth this morning by Field-Marshal his Royal Highness the Duke of Connaught, will ensure that the ceremony is completed with the least possible delay.*

The proceedings will open at 11.30 a.m. and terminate approximately at noon, but members of the public are asked to be in their places by 11.15, in order not to inconvenience the arrival of his Royal Highness.

Under the direction of Mr R. W. Davison, Sidmouth Town Silver Prize Band will entertain the assembly with musical selections until the Duke enters the gardens, when they will play the National Anthem.

His Royal Highness will be welcomed on behalf of the town by Mr George E. Saunders, J.P., chairman of the Urban Council, who will be accompanied by members of the Council.

After prominent local residents have been presented to the Duke of Connaught, Mr Saunders will invite his Royal Highness to perform the dedication ceremony.

The Duke will dedicate the grounds and unveil a tablet bearing the inscription: 'Sidmouth Urban District Council. These grounds, formerly known as Sea View, were renamed the Connaught Gardens, and dedicated to the use of the public for ever, by Field-Marshal HRH the Duke of Connaught, K.G., on the 3rd day of November 1934. P. H. Michelmore, clerk. Geo. E. Saunders, chairman.'

The proceedings will close with the singing of the National Anthem, in which all present are invited to join.

Sea View, as it must be known until the dedication ceremony, was originally a privately-owned estate, about five acres in extent. Situated on the cliffs at the western end of the Esplanade, it acts as a bastion against the sea. The attention of the Urban Council was drawn to Sea View originally by the necessity for ensuring the maintenance of the sea defence of the cliff. The estate is close to Chit Rocks, Battery Field, and the famous Jacob's Ladder.

After acquiring the estate the Urban Council decided to demolish the old dwelling-house, where a murder was once committed, but they retained considerable portions of the stoutly-built walls of the gardens and the outbuildings, with their rugged, weathered stone and brickwork. These portions were dovetailed into the design of the shelters and covered walks. Many of the standing trees – camillias, ilex, conifer and tamarix – have been preserved, and new and rare flowering species have been added. The site of the old house is marked by a spacious lawn...

The site practically adjoins the spot where once stood a cottage occupied by the resolute Mrs Partington, whose efforts to keep the sea out of her home by means of a mop were once referred to in Parliament, and the exploit became as famous as that of King Canute...

As Rising Bray wrote in *I Give You Sidmouth*, in the 1930s, *...I am glad the town pulled down the old house, dug up its foundations and built shelters from the wind and rain in its place. Where once the storm raged we can find rest and peace... Like all gardens it gives the gladdest welcome in Spring and Summer, but even in Winter there is a path on the cliff edge where the sun is caught in a trap and held prisoner to warm you on many a cold day... 'Sea View': the older folk still call it by that name, but the next generation will have forgotten, for they will only remember the gracious personality who gave his name to the new garden... The ghosts are forgotten.*

There is a cluster of impressive thatched cottages standing on rising ground between the Connaught Gardens and the beginning of the Esplanade. In those distant days, now long-gone, when fishing was a prosperous enterprise (at least for some) there was a Sidmouth man who showed some immense 'net' profits. In about 1805 Samuel Heffer built a house here, adding another some five years later; the pair became known as Heffer's Row, but are now known as Connaught House and Clifton House. They say money makes money, and this was certainly the case with Samuel who cast his nets towards the visitor, renting out his properties to more than supplement his income.

Fashionable Sidmouth was thus attracting more visitors, and the resident population was also growing apace at that time. Wealthier members of society arrived with large retinues of staff, there being little in the way of labour-saving devices, but with relatively cheap human labour their lifestyle was comfortable and they could enjoy indulging in their own pursuits and pastimes. A perusal of visitor guide-books from the 1930s has Clifton Place as a private hotel, "Magnificently Situated at the Western end of the Sea Front, commanding panoramic Sea and Coastline Views over a distance of some sixty miles". This of course depended on the clarity of the day, and the range of the eyesight of its patrons!

Sidmouth's Esplanade must be one of the most majestic of all the seafronts along the Devonshire coastline. There is an array of fine buildings, some large structures, others smaller and neater, but equally important. Beach House, originally designed in a plainer Georgian style about 1780, is regarded as the first house to be built along the waterfront. In the well-documented and terrible storm of 1824 it took a terrible battering, much of the shingle that was the beach filling the lower part of the building. The damage was considerable, but it did provide an opportunity to make more out of its frontage; thus the Gothic, Regency-styled structure you see today began to evolve. The house, under the ownership of Mrs King, changed its name from Blossom House to its present, perhaps more apt, name in 1884.

In the *Come to Devon Guide*, from the early part of the twentieth century, there was an advert for Beach House, which listed its finer points as: "High-Class Furnished Apartments. Facing Sea. Due South. Central Heating and Electric Light. Special Attention given to Children and Invalids. Special Winter Terms. Phone No 296. Mrs James Skinner." In that 'award-winning guide' it's interesting to note that smaller, neighbouring Budleigh Salterton had adverts for eleven places of accommodation, whilst there were only seven entries for Sidmouth. Perhaps Sidmouth's hoteliers didn't feel the need to advertise whilst Salterton, who vied for the visitor trade, did need to sing its own praises. Certainly today, Salterton, nicknamed by some as 'God's Waiting Room', there being or having been a number of retired clergymen there, has lagged far behind Sidmouth in the hotel stakes; many of its hotels are now replaced by luxury apartments.

If Beach House looks to be in fine fettle, then it's because major restoration was carried out in the late 1980s. Today it is divided into residential flats, but what a place to live, except, of course, when the sea is at its most menacing.

Many of the town's later larger buildings have been built at a safe distance from the sea, often on raised ground. Among these the Victoria and Fortfield hotels, all large buildings, gaze at the sea in safety.

Today the Fortfield Hotel is not an easy building to draw, having been added to considerably since Michael Healey bought it in the first years of the twentieth century. He had been manager of the Knowle Hotel and realised the potential of the relatively new Red House, built in the early 1890s. It was he who turned it into the Fortfield, a more appropriate name as it stood on the site of the old Fort Fields. The original red brick building is now dwarfed by all that has been built around it, but its three gables can still be seen.

This hotel has also entertained many celebrated guests. In 1931 the Duke of Connaught paid his first extended visit to the resort. Whilst he was resident in Sidmouth many other 'Royals', from all over Europe, paid him a visit.

In front of the Fortfield is the town's fine cricket field, which has a history all of its own, with some famous players having graced its lush turf – and some unlikely ones. You do not have to be a detective to discover that Sir Arthur Conan Doyle (1859–1930), the Edinburgh-born creator of 'Sherlock Holmes', loved his cricket. Even at the age of 40+ he was still able to take the field for a two-day game as a player for an MCC XI. He played at Sidmouth in 1902, the same momentous year as he both received his knighthood and published *The Hound of the Baskervilles,* which was set on Dartmoor. He must have enjoyed his visit, because he was back the following year to play again.

However, it is the thatched pavilion that catches the eye, and occasionally the cricket ball; it is another that carries a blue plaque, proving that those in the know can see the merit of buildings which serve a variety of functions. The Sidmouth Cricket, Tennis, Croquet and Hockey Club was founded in 1823. At that time players made do with a marquee for entertaining visiting teams. A thatched 'cricket house' was built some time between 1824 and 1827, but its history has been punctuated by both good times and bad, with the field not always being available for cricket when leases lapsed or when lessees died. At such times the cricket house started to show obvious signs of neglect. However, with the club's healthy patronage and a great enthusiasm, it was rebuilt and has evolved into the attractive feature that it is today. It survived a scare in 1970 when there were several press reports suggesting that it had, once again, lapsed into a sad state and should be pulled down to be replaced by a modern building. Fortunately common sense prevailed to leave a building of immense character intact.

One writer waxed lyrical about this sport in the resort when he wrote this in 1894: *The month of August is entirely devoted to cricket. The air is full of 'off-drives', or the latest*

bat, of the state of the wicket, the strength of the opposing team, and the selections to represent Sidmouth. The Cricket-field is alive with Beauties arranged in the latest fashions and men wearing the uniform offices of that select Club.

The immense, imposing and elegant Fortfield Terrace overlooks the cricket field. When it was built, it represented a speculative investment; the houses in the terrace were to be rented out to people with titles and the financial wherewithal to justify such a grand scheme. However, with the untimely death of the architect, what you see today is about only half of what was originally intended. If you look at the position of No 8, and consider that this was meant to be the centre of the terrace, then you will begin to appreciate what it might have looked like if the entire scheme had come to fruition. When the terrace was newly built, it appeared as a large red-brick building. However, the exposed nature of its location meant that the 'elements' often got at it. In 1850 it was decided to render the terrace, to give it more protection from the rigours of the weather.

Number 8 Fortfield Terrace has had its share of aristocratic and/or famous guests. Elizabeth Barrett-Browning was just one of them, arriving in the resort in 1833 when she was about 26 years old. She described the area as "the very land of green lanes and pretty thatched cottages with verandahs and shrubberies, with sounds from the harp or piano coming through the windows." She recorded her memories of Sidmouth on paper, and remembered rowing to Dawlish. She also saw the Bishop of Barbados and the Dean of Winchester walking along the beach "...making Sidmouth look quite Episcopal." However, her time here was not all idyllic; her brother Edward and three friends were drowned in Babbacombe Bay when their small boat capsized in a sudden squall.

Today the telltale signs are there that the properties in this elegant terrace are no longer the exclusive preserve of the exceedingly wealthy: most of them have a line of doorbells, showing that they are now subdivided into flats.

Although Sidmouth is well-endowed with hotels there are those which are just a memory recorded on a blue plaque. One of them, the former London Hotel, is now a shoe shop. Almost every town in the provinces had a 'London Hotel'. It was from here that the stagecoach set out on its long and tedious journey to the capital. In 1785 the first mail coaches could get to London in about 24 hours, but, by 1838, with an improvement in roads the journey was cut to a mere 16 hours. Progress indeed! The London Hotel, with its weekly ball, was one of the foremost establishments in the Regency social life of the resort. Its Assembly Rooms were the venue for many activities such as meetings and concerts. Alas, the hotel's fortunes began to wane, the changing social needs and pattern favouring other grander establishments. It struggled through the twentieth century until the early part of the 1980s, when the hotel became shops.

Another once long-established hotel that has 'disappeared' is the Knowle Hotel, which traded from 1883 through to its closure in September 1968. It had various owners; for a spell was operated by the Southern Railway, but they ran out of steam and it reverted back to private ownership. Today it serves a very different purpose, this being 'the corridors of power' for East Devon District Council. It was originally bought by the Sidmouth UDC.

Whilst some hotels have disappeared into oblivion others have expanded, like the Royal York & Faulkner Hotel fronting the Esplanade. The Revd Edmund Butcher, writing in the first half of the nineteenth century, described it as follows: *The York Hotel is a large handsome house, newly erected. It stands on the beach, and has an uninterrupted view of the whole bay in which Sidmouth lies. Since this establishment was completed, six other handsome houses have been built in a line with it, now known by the name of York Terrace. The stables are higher up in the town and are the same which formerly belonged to the London Inn. The three last houses of York Terrace are the new baths, a lodging belonging to Mr Marman and the last is another, belonging to the Head Waiter at the York Hotel.* The terrace was completed in 1923 when Nos 11–12 were added to this impressive line of buildings. Over the years many notable guests have stayed here, among them being Edward, Prince of Wales (later to become Edward VII).

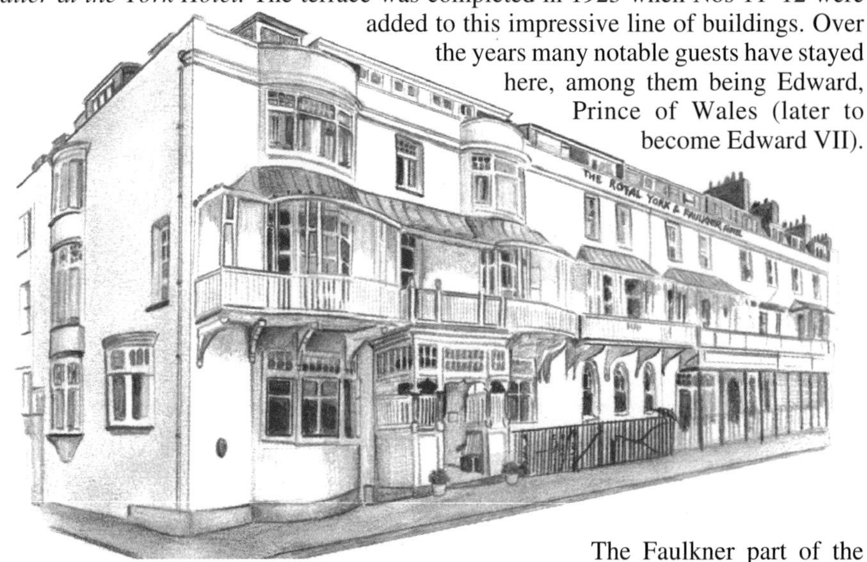

The Faulkner part of the name can be explained, as this was the small, extremely successful guest house next door. The union of the two harks back to Freddie Hook who married a Sidmouth girl, Violet Hucker. He worked in the kitchens at the Victoria Hotel before moving on in the 1930s to become Chef at the nearby Fortfield Hotel. At the end of that decade he bought the Faulkner, adjacent to the Royal York. Alas, the Second World War proved to be a major stumbling block in the establishment of a thriving business; it wasn't until the post-war years that Freddie and Violet began to show their immense promise in hotel management. Their business grew, expanding into further adjacent premises in this terrace before acquiring the Royal York in 1970. Although Freddie and Violet have passed on, the business continues in the family.

In 1980 pop star Georgie Fame posed for press pictures on one of the hotel's balconies, as he crowned the Sidmouth Regatta Queen, Nina Perram.

The Hotel Riviera is another of the seafront hotels to have a striking appearance. Originally it was four terraced houses, three having been built before a fourth filled the gap. Number One was closest to the Bedford Hotel, and the other three were numbered accordingly away from it. Throughout the nineteenth century each of the properties either side, owned by the Lord of the Manor of Sidmouth, offered short-term leased accommodation to visitors, or acted as lodging houses. It appears that one of the properties had a sequence of surgeons holding the lease, they obviously having had the

deal nicely 'stitched up'! Throughout the entire century only one pair of residents, a married couple, stayed more than ten years, these being James and Elizabeth Slade. The last Lord of the Manor was Lt. Col. John Balfour DSO, and those with an observant eye may have noticed the 'B' on the hotel's drainpipes, these presumably representing his name. In 1928 he decided to sell off these four properties as one freehold lot that would make an ideal high-class or boarding hotel. However, only three of the properties followed suit, and directories of the 1930s show that E. and G. J. Ratcliff were at the classy 'Hotel Riviera', but it's not known exactly when Number One was incorporated. During the Second World War it was commandeered as an RAF officers' mess.

The Esplanade retains its Regency appearance; compared to many other resorts, it has a sense of period. This fact hasn't escaped film-makers, who have used the seafront for many scenes, *Vanity Fair* and *Summer Story* being just two period pieces to be shot here.

The latter featured many locals who appeared in the 'Torquay' scenes, this being the case because the story, based on a short work by John Galsworthy (1867–1933), featured the more westerly resort. Sadly, when the location managers checked out Devon's largest resort they realised that it had changed too much, and not even the cleverest of camera angles could disguise the fact, so Sidmouth became the obvious choice as it had no bingo halls, neon signs or modern buildings to camouflage.

John Galsworthy, creator of the *Forsyte Saga*, lived on Dartmoor for a number of years. From his home at Wingstone in Manaton he liked to ride his horse over the moors and along the lanes, his dog in tandem. His favourite route often took him past Jay's Grave, believed to be that of a poor, simple farm girl who had committed suicide. He adapted the local legend into a short story called *The Apple Tree*, this in turn providing the basis of the plot for a 1980s film called *Summer Story*. I wrote about it in *Made in Devon,* which is about films and television programmes made here in the county, but the book was finished before the title of the film had been finally decided!

The film had its 'World Première' at Sidmouth's Radway Cinema, providing the opportunity for the many local 'extras' to savour their moments of glory on the big screen. The profits from this première went to the Sidmouth Landscape Fund.

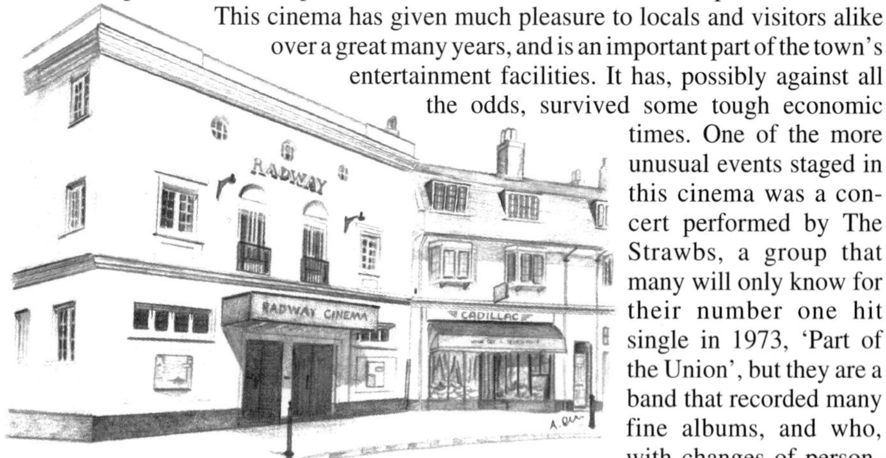

This cinema has given much pleasure to locals and visitors alike over a great many years, and is an important part of the town's entertainment facilities. It has, possibly against all the odds, survived some tough economic times. One of the more unusual events staged in this cinema was a concert performed by The Strawbs, a group that many will only know for their number one hit single in 1973, 'Part of the Union', but they are a band that recorded many fine albums, and who, with changes of personnel, have played together for many years. Their lead singer, David Cousins, fell in love with the East Devon countryside, so has settled here. Therefore gigs at Sidmouth and Sidbury's village hall have all been part of that group's union, "until the day they die...", perhaps. Their magnificent Radway Cinema performance was filmed for local television.

Beside the Radway, and shown in the drawing, is the restaurant that for about seven years was known as 'Cadillac'. In late 1996 the owners decided that it was time for a change of scenery and image, so it became Di Paolo's. Its previous name had nothing to do with the famous and revered motor car. The owner had sold a previous restaurant in Honiton, then gone to work in San Francisco. An eating place he often frequented, and greatly admired, was called Cadillac, so, when he returned home to East Devon, this became his choice of name. Its more recent name has a family connection; it is now an Italian restaurant.

The resort once boasted two cinemas, the other being the Grand. Opened in 1929, some considered it to be superior to the Radway at the time when both drew on audiences which were not quite so distracted by television, terrestrial or otherwise. Its entrance was in the central portion of the conglomeration of buildings shown here. To the right of it was a shop where refreshments could be purchased, there having been doors from both the street and the adjacent cinema into it. The Grand Cinema was beautifully furnished, with a palatial interior that was appreciated by many locals. Alas, a fire in 1956 caused great damage.

Sidmouth has many churches, but, unlike in many other places in Devon, they are in civilised locations, not banished to some distant hilltop where the worshippers are already halfway to Heaven before they start uttering their prayers! This book isn't meant to be an ecumenical guide to the town, but certain attention is paid to some of them for they have played, and continue to play, their parts in the life of the resort. Here, merged in the mire of other more secular stories, are some of these places of worship.

The parish church of St Giles or St Nicholas is not one of the easiest to photograph or draw – when seen from several angles it is kept company by buildings or trees close to it. Here it is drawn as seen from Coburg Terrace,

rising high above the rooftops of the beautifully symmetrical Amyatts Terrace. In the nineteenth century *Beauties of Sidmouth* by the Revd Edmund Butcher he included this, choosing to write about himself in the third person. *Close by the church-yard, commanding a beautiful view into the country, and looking upon a pleasant meadow, is Amyat's Place* [sic], *a row of small houses, built in an uniform manner by the late J. Amyat, Esq. – on the opposite side of the meadow four houses are erecting, which when completed are to be named Cobourg* [sic] *Terrace; that finished at the eastern extremity is occupied by the Revd Edmund Butcher.*

The eminent historian the late great Professor Hoskins was not exactly taken with the church, writing that it "... was rebuilt, except the arcades and the fifteenth century tower, in 1859–60, and is devoid of any interest." However, that painful Victorian rebuilding at least led to one 'new' landmark on the Sidmouth scene.

Sometimes genius and eccentricity go hand in hand, and this was certainly the case with a colourful Sidmouth character of the past, Peter Orlando Hutchinson (1810–1897). The Old Chancel, shown overleaf, is a visible memorial to a man who was gifted as both an artist and historian. The building has all the appearances of being ancient; to a small degree it is, but not on this site! This can be explained quite simply. In the middle of the nineteenth century a situation arose that divided the community. Should the parish church be completely rebuilt, or should it be repaired and restored to its former glory? The first of these options was taken, Peter being astounded at the decision for this is where he worshipped, a building that had a place in his heart and life. The outcome was that in 1859 Peter signed a contract agreeing to buy the old chancel from the church, and to reassemble it in his garden at nearby Coburg Terrace, a project that would occupy him for the next three decades.

The finished rebuilt article was smaller than it had been when *in situ* in its original form, but it had been saved, and a quick look at it will show that it is a most unusual addition in a part of Sidmouth that already boasts many fine buildings of architectural merit. However, the move was not without its problems. On the last day of October in 1866 he moved into the Old Chancel, taking with him Mrs Webber, his housekeeper. His new home was far from suitable for habitation; it's believed the cold, damp conditions caused Mrs Webber's untimely demise. However, undaunted, he later added to his home, which a lot of people still mistake for a church. On the glass of some of the windows in the tower he etched, with a diamond, some short sentences detailing the story of its move. Those who know their history of Sidmouth regard Peter Orlando Hutchinson as something of a folk hero, despite his eccentricities. He did so much for the history and heritage of this resort that he deserves to be immortalised. That wonderful writer, Ronnie Delderfield, author of such masterful works as *A Horseman Riding By* and *To Serve Them All My Days,* lived in Sidmouth, and was familiar with this great local historian. In 1965 Delderfield wrote this about him in the *Western Morning News*: *In his earlier days, it was one of his idiosyncrasies to dress in a uniform of his own devising, and he was often seen about the town driving a donkey which was attached to a cannon. A humorous story is told of an occasion when the local Yeomanry held one of its field-days. As the troops, headed by the colonel and officers, returned to Sidmouth they were solemnly preceded by Mr Hutchinson on his ludicrous and semi-military equipage.*

Even at this distance from the scene one can imagine what the colonel's language must have been over such an escort.

In late May 1997 a play called *Orlando*, written by Phillip Riley, was staged at the Manor Pavilion Theatre to mark the centenary of the death of this great character; it was produced by the Sidmouth Historical Drama Society.

The parish church has some redeeming features. In 1938 Arthur Mee wrote in his book, *Devon*: *Of battles of yesterday we are reminded by a granite cross in the cemetery to Colonel Charles Grant, who won the VC in the third Burmese War, capturing Thobal near Manipur in 1891 and holding it against a large number of the enemy until he was relieved. The West Window of the church, showing among other scenes the story of St Nicholas, was set here by Queen Victoria in memory of her father.*

The church was a victim of the English Civil War (1642–1646) when Parliamentarian forces, or Roundheads, stabled their horses within it. There was damage done to the fabric of the church, the organ being removed. This had a lasting effect in that it took two hundred years to replace it: slow by even Sidmouth standards!

Being a vicar at Sidmouth hasn't always been a 'bed of roses'. In September 1865 the following article appeared in the press: *On Thursday last the following address signed by about 250 inhabitants of Sidmouth and the neighbourhood, was presented by a deputation, consisting of Henry Floyd, Bart., and other gentlemen, to the Rev. F. L. Moysey, on the occasion of his resigning the living in consequence of annoying attacks upon him: 'We, the undersigned inhabitants ... learn with regret that you ... intend to remove from this parish. As a Christian minister we feel that you have performed the duties required by your position, and have been fully mindful of the welfare of your parishioners.* It went on to castigate the perpetrators, responsible for driving him out, of such 'base conduct deserving only of contempt'. The departing vicar received vile anonymous letters that were, surprisingly, the works of 'persons of superior education'. In his farewell sermon the vicar thanked the kindness of all the tradesmen in his flock, but only 'most of the gentry'. A reward of £50 was offered for proof sufficient to result in a conviction for the offenders.

The large, red-brick Church House is 'just around the corner' (beyond the museum) from the church. It was formerly Fort House, built for Mr Philips in the late eighteenth or early nineteenth century as a meeting place for the élite of Sidmouth society. It was later bought by a member of the famous Kennaway family. It became a church house in 1904, and also served the needs of the community. On the Coburg Road side of the building, high above the ground, are found these stirring words: "Come unto me ye children, I will teach you the fear of the Lord".

Church Street is full of family businesses; there is obviously a corporate pride shown here, as a plaque on the wall acknowledges their floral efforts in the Britain in Bloom competition. The plaque cites the year 1982, but it's obvious to anyone that this was no one-off effort, for the street is always the most pleasant of thoroughfares to pass along. Families such as the Haymans (butchers at Aberdeen House), the Colliers (furniture), and the Gliddons (toys and hardware), have long been established here; if they can manage a few more generations, they may get their own blue plaques one day!

The Sidmouth Florist sits snugly into a part of Grosvenor Buildings. Locals will have noticed that it's not unusual to see adverts here for country music concerts, invariably Irish acts; Norman and Judy, the shop's owners, have raised a lot of money for charity by staging Irish Country music nights in halls and venues in and around the town. There is often music being played in the shop, and you don't have to be too sharp-witted to notice on the walls the huge personally signed posters of performers such as Daniel O'Donnell.

The building, which has a distinct 1930s look to it, was constructed following a spectacular fire on 12 December 1927, which destroyed earlier buildings on the same site. This was despite the fact that the old steam fire engine had to travel only a short distance up from the nearby Market Square to get to it. By the time the maroons went up the buildings were well alight; the efforts of Jimmy Skinner and his fire crew were to no avail. This Chief Fire Officer then lived at Beach House and his business, and livelihood, was the dairy in Church Street almost opposite the fire.

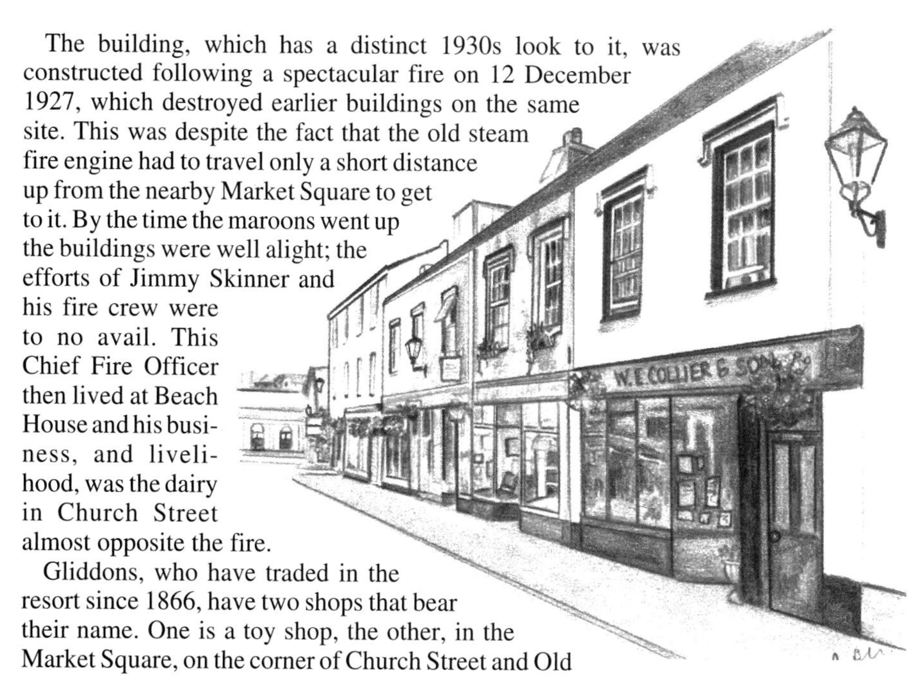

Gliddons, who have traded in the resort since 1866, have two shops that bear their name. One is a toy shop, the other, in the Market Square, on the corner of Church Street and Old Fore Street, is a hardware store. This building, like its counterpart up the street, is of 'white brick' (a strange name as it is more of a yellowish hue). It is known as Sheffield House because it is an ironmonger's shop; much of what has been sold down the years originated in that Yorkshire steel town. The premises were built in 1887 by the go-ahead Frederick Marwood Gliddon who was a fine businessman. This was at a time when it was deemed important to widen Church Street. The cottage next door was adapted by having its 'front room' literally cut in half. Adjacent to this hardware store on the other side, in Old Fore Street, used to be a shoe shop, run by Mr Elkins until 1962. On his retirement, Gliddons, who owned the building, extended 'next door' to incorporate the space into their expanding shop. Initially the internal link between the properties was a basic 'hole-in-the-wall' job, but, today, as Eric Morecambe would have said, "You can't see the join"!

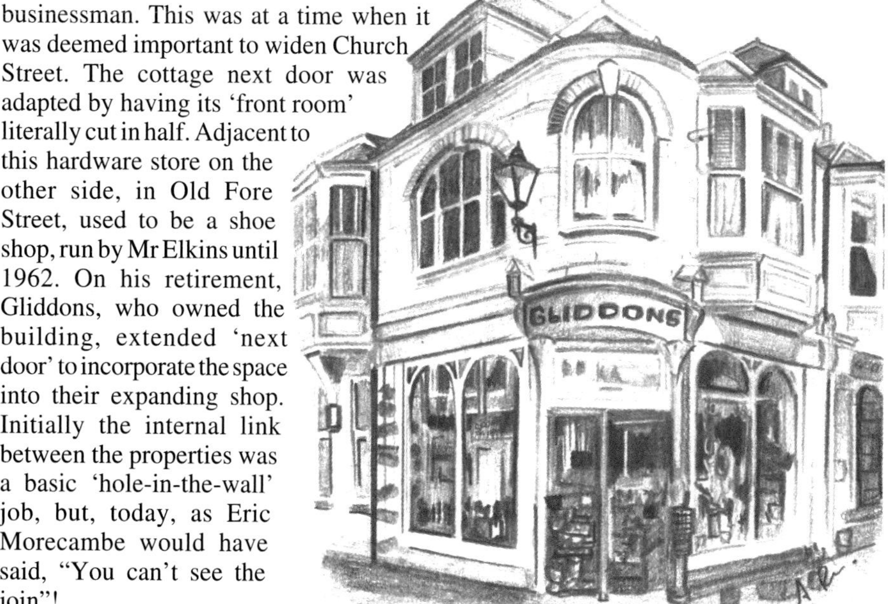

Sidmouth has entertained, and been entertained by, Anderton & Rowland's travelling fair: that is, before 1929 and after 1983, there having been a gap of some 54 years in between. In those early years Mr Anderton often shopped at Gliddons. On one occasion he came in to ask for a price on a vast order of nails, needed for one of the fairground games. When Mr Gliddon eventually managed to work out and stipulate a price, Mr Anderton responded that the quote was nowhere near enough, and offered to pay more!

Sidmouth has played a unique part in the history of this travelling fair. Originally there was a man who was known as 'The Wizard', who travelled around with a wagon, stopping at resorts and market towns to perform his conjuring tricks. His name was Anderson, just one letter different. A young man called Haslam saw his show, and was so keen to 'get in the act' that he persuaded Anderson to show him the tricks of the trade. Travelling around with The Wizard he acquired many skills, which he honed to a fine art. When Anderson died, the wily Haslam carried on the show, but changed his own name to the similar-sounding 'Anderton'. The rest, as they say, is history. If you visit Sidmouth's cemetery, you could see the grave of Haslam/Anderton: it is located close to the chapel of rest. Rodney Gliddon, who was so helpful in the research of this book, has a great interest in the Anderton & Rowland story.

The Gliddons' toy shop premises, known by them as 'the top shop', have served other functions. Originally it was a second-hand furniture shop, later it became a vendor of prams and baskets. At the back of the premises there was a farm; for a great many years Gliddons used the cow shed as a store.

In 1921 a young Rodney Gliddon was given a Meccano set for his fourth birthday, but it was really more a set of accessory parts; his father, Morton Newton Gliddon, tried in vain to purchase further 'bits' locally that could be used to make models. It was suggested to him that he should become a Hornby and Meccano agent, so he did. Over the next few decades young Rodney had access to this extremely constructive toy. The shop formed and encouraged Meccano clubs; through the 1930s he was the secretary for an active club, which held its meetings at the nearby Congregational School in Chapel Street.

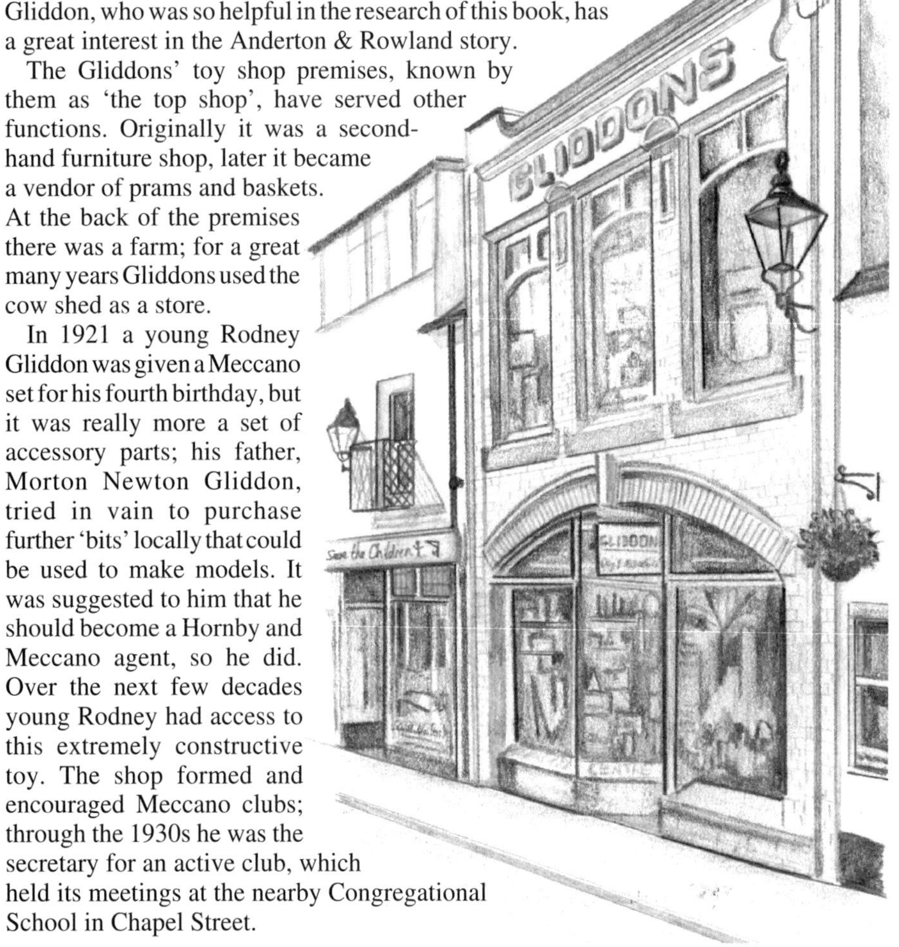

Chapel Street, which continues the ecclesiastical trend in religiously named roads, leads off Church Street, and is one of those back streets that visitors may never notice. Close to Goldie's Cottage is the large grey building of the United Reformed Church, erected in 1846. The original National School, which was founded in 1811, was housed in the church's hall. This church has a sister establishment at Primley Road, which opened in that traumatic early war year of 1939. In 1972 the Congregationalists joined forces with the Presbyterians to form the United Reformed Church.

Opposite the church is the character property known as the Tudor Cottage, yet another deemed worthy of displaying a blue plaque, as it is one of the oldest surviving buildings in the resort, and possibly was once the administrative centre for the Manor of Sidmouth. Here Ken Gribble, who featured in the second television series of *Cobblestones, Cottages and Castles*, restored a unique timber-painted screen from Tudor times, thought to have been the work of monks.

The Old Meeting, on the corner of another street with religious overtones, All Saints Road (but formerly Mill Lane) at various times has been a Presbyterian and Unitarian place of worship. The ornamentation on the frontage of this late nineteenth-century building, these being carved barge boards, makes it more attractive than it might have been, for it helps to embellish what appears to be a basic design. This chapel has a long

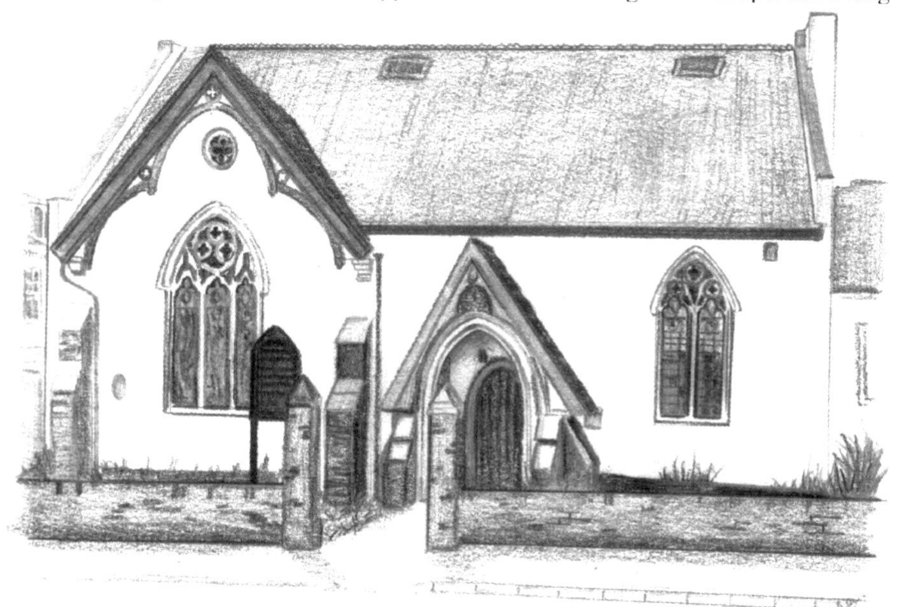

history. Originally it was a small building of a modest 45 feet in length with a width of just 23 feet. It had 'a very humble' exterior, but was 'neat and convenient' inside. Attached to it, beneath the same thatched roof, was the White Hart, a somewhat poorly designed structure, where a tragedy once happened. This brief quote, drawn from an article on its history to celebrate the chapel's bicentenary, featured in the *Express & Echo* in June 1910: *The next event of any importance was six years later in 1886 when the thatched roof was removed, and the public house, which stood next to the chapel, and actually belonged to it, and was under the same thatched roof, was pulled down. It was known as the White Hart Inn. There were no windows on that side of the chapel, nor any entrance. How this state of affairs over came nobody seems to know, but one night the woman who kept the public-house fell downstairs and lost her life. An effort was then made to remove the public-house. Windows were put in on that side of the chapel, and a new entrance made.*

Over the ensuing years the current building gradually evolved, and a redevelopment of the junction and roads in its immediate vicinity also took place. A substantial sum of money left in a will enabled the adjacent hall to be added in 1936. I wonder how many visiting motorists, preoccupied by turning from All Saints Road into the High Street, ever notice this attractive chapel?

A short distance away from the Old Meeting is May's Cottage, the first hospital in the town, another of the many buildings in the town to carry a blue plaque. A newer sign hangs from the thatched building referring to the presence of the 'Sidmouth International School'.

Sidmouth's fine Methodist Church is in the High Street, and has been since 1885. It continues to enjoy such a healthy following that in the summer there are times when the church is stretched to accommodate all those who wish to worship. When built, at a cost of £1,851 19s 8d, its intended seating capacity was 280. The chancel walls are lined in Cotswold stone whilst the floor reflects the use of more local materials in the shape of flat polished Devon stone. The wood pulpit and other fittings are of utile, a wood imported from West Africa, whilst the German Amber Glass sanctuary windows let through the golden light rays.

The origin of Methodism in Sidmouth is a bit sketchy, but it is known that John Wesley travelled on horseback from Tiverton to the resort on 17 September 1766, to visit the influential, but sick, Joseph Magor. After an hour-long visit he rode back to Tiverton. The fact that he made such a gesture suggests that it's possible that there was a Methodist Society at that time. Certainly within six years of this there was a small Methodist chapel. In 1836 it is recorded that there was a house at the Marsh registered for Methodist worship; less than a year later there was a similar house at Woolbrook, and a chapel in Mill Street. The latter was in premises formerly owned by Mr Beavis, who had run a horse seller and blacksmith business from it. This chapel served an ever-growing congregation, until the current church was built in the High Street. I have given illustrated talks about Devon there, and have always been well looked after!

Sidmouth, famous for its colourful international folk festival, attracts visitors from all over the globe. From time to time the resort also receives visits from its counterpart friends in Switzerland. In the 1980s Sidmouth twinned with the Swiss town of Le Locle, a settlement with a similar sized population, but with a very different character. Le Locle is a resort for cross-country skiing, whereas, for the good folk of Sidmouth, the rare sight of a flurry of snowflakes produces either a shriek of excitement or a shrug of despair. Le Locle's economy is centred on the manufacture of Le Tissot watches, the company being the main employer in the town. It is located in the French-speaking part of Switzerland, not too far from Neuchatel.

For any visitor, or even local, who wants to get to know more about this area then Sidmouth's museum, now known as the Sid Vale Heritage Centre, in Coburg Road is always worth a visit. Built in about 1830, and known as Hope Cottage, it now houses much of local interest; time spent browsing there is time well spent. The museum, which began in the 1950s at Woolcombe House, now the Sidmouth Town Council offices, moved to this location in 1971. Hope Cottage, which has also served as a bank, council offices and a library, was presented to the town by Miss Constance M. Radford. Above it is a blue plaque that mentions one of Sidmouth's famous sons, the novelist and original fisherman's friend, Stephen Reynolds (1881–1919), who worked in this building. In 1906 he went to lodge with the Wooleys, a fisherman's family. Published in 1908, *A Poor Man's House* won huge critical acclaim. Intended to form the basis of à play, it was a hotchpotch of items provided by fishermen.

Anyone entering the museum should first take notice of the attractive trellis porch. From a visit to this museum, many visitors get to know Sidmouth better than some of the

locals do! Guided walks start from here, and the things that you may never spot when strolling past take on a new meaning and relevance when pointed out by an expert. The centre's collection includes prints of sketches and watercolours by Beatrix Potter, who visited the resort several times between 1898 and 1910.

At this juncture it is appropriate to mention, even congratulate, the Sid Vale Association whose sterling work, since their beginnings in 1846, has done much to preserve and promote the history and heritage of this small valley and its 'treasures'. They can proudly make the claim that they were the first conservation society set up for the protection of the environment. They have produced many fine booklets to draw attention to what Sidmouth and its immediate environs have to offer. Their placement of attractive and stylish blue plaques adds much interest and enjoyment for visitors when strolling around the resort. The clock on the side of Sidmouth's museum commemorates their 150th anniversary.

The Old Ship Inn, in Old Fore Street, is yet another of those many buildings in the resort to carry the blue plaque, a sure sign of a long and colourful past. If you look at the lie of the land you will see that this pub is just a few feet higher than the lower end of the street, an important fact when you consider how the town centre has often been swamped by storm and tempest. That slight difference, up the gentlest of slopes, has meant that this ancient inn often escaped the worst of the inundations when the Market Square flooded. However, the pub, which was once associated with smuggling, has had its ups and downs; for a while it was a dosshouse providing shelter for all the waifs and strays of the district. At that time several Sidmothians used Fore Street as a by-pass to avoid this inn. When the doors were open a terrible stench emanated from within. Some of the inn's former 'residents' were known to venture down to the Market Square, where

their barrel organs played to entertain the local folk. Many of the tramps who stayed at the inn were nomadic by nature, carrying all their worldly possessions about in hand carts, most having dogs for company. With these canine companions and the mandatory

barrel-organ monkeys also staying at the inn, it's easy to understand how the pub emitted such an awful aroma. But I am pleased to say that now all is well, with the Old Ship Inn once more fulfilling its customary role of providing refreshment, and a much more pleasant environment, which is as it should be.

Sidmouth possesses many public open spaces for recreation and relaxation, some of which have already been encountered. The River Sid, a short river even by Devon's modest standards, carves out a deep steep valley in its upper reaches before passing Sidbury and Sidford. Many folk like to walk through the meadows, known as the Byes, beside the river as it tumbles down towards the sea, at the foot of the massive Salcombe Hill. The ornate toll house (shown on page 31) stands beside Waterloo Bridge, a structure built about 1817 when the news of the Duke of Wellington's great victory was still fresh in the minds of the nation. The bridge replaced the Mill Ford, but not everyone welcomed the drier passage over the Sid: whereas the ford was free, the bridge wasn't! However, as times changed toll bridges and toll roads, for the most part, were eventually rendered free of tolls. As in many other places the toll gate, in this case an iron one, was removed and left to bide its time propped up nearby as a visual reminder of 'them bad old days' when people paid to pass through it. Eventually it was reused at the entrance to the Byes. A short way downstream is a ford for cars; for many it is an ideal opportunity to wash the undersides of their vehicles!

And beyond that the last bridge to span the Sid, as it is about to plunge into the sea, is Alma Bridge, also named after a battle, this time from the Crimean War. However, the one in this drawing is not the original, that having been a longer and narrower wooden structure made from some of the timbers of the stricken vessel *Laurel*, which had gone aground nearby. The current bridge dates back to 1902, and many have crossed it in their relentless pursuit of walking the East Devon coastline. From the top of the towering Salcombe Hill cliff there are tremendous views; from such a lofty eyrie, rooftop Sidmouth, sedate but not sedated, and so far below, looks like a model village inhabited, for the most part, by model citizens…

ISBN 978-0-666-48286-0
PIBN 10730511

FB &c Ltd, Dalton House, 60 Windsor Avenue, London, SW19 2RR.
Company number 08720141. Registered in England and Wales.

For support please visit www.forgottenbooks.com

FESTREDE

GEHALTEN

AM

AGE DER KAISER WILHELMS-AKAD
MILITÄRÄRZTLICHE BILDUNGSWESE

2. DEZEMBER 1907

VON

TH. ZIEHEN.

BERLIN 1908.
VERLAG VON AUGUST HIRSCHWALD.
NW. UNTER DEN LINDEN 68

DAS GEDÄCHTNIS.

FESTREDE

GEHALTEN

AM

STIFTUNGSTAGE DER KAISER WILHELMS-AKADEMIE
FÜR DAS MILITÄRÄRZTLICHE BILDUNGSWESEN,

2. DEZEMBER 1907

VON

TH. ZIEHEN.

BERLIN 1908.
VERLAG VON AUGUST HIRSCHWALD.
NW. UNTER DEN LINDEN 68.

Hochgeehrte Herren!

Es ist eine altbekannte Tatsache, daß in den alltäglichsten und gewöhnlichsten Vorgängen die bedeutungsvollsten und tiefsten Probleme enthalten sind. In jedem Fall eines Steins oder eines Regentropfens liegt das Rätsel der „Fern“kraft verborgen. Nur die Alltäglichkeit des Erlebnisses hat uns gegen den Reiz des Problems abgestumpft. Auf psychischem Gebiet ist das Gedächtnis oder die Erinnerung ein solcher alltäglicher Vorgang, in dem eines der tiefsten und interessantesten Probleme des Seelenlebens sich uns fast in jedem Augenblick darbietet, und die psychologische Forschung ist der Lösung dieses Problems kaum näher gekommen als die Physik dem Problem des Wunders der Fernkräfte. Gestatten Sie, daß ich Ihnen am heutigen Tage das alltägliche Problem des Gedächtnisses etwas klarer vor Augen stelle und Ihnen einige Lösungsversuche vorführe!

Schon in den ältesten Stadien der Psychologie wurde das Problem des Gedächtnisses bemerkt. Wo bewahren wir die tausend und abertausend Erinnerungen, die wir im Laufe unseres Lebens erwerben, und mit welchem Zauberstab wecken wir in jedem Augenblick eine dieser Erinnerungen und zwar zumeist die richtige Erinnerung? so fragten bereits die alten griechischen Naturphilosophen.

Die älteste naivste Antwort lautete[1]): Von dem grünen Blatt löst sich eine grüne Fläche ab, und diese gelangt in das Auge und aus dem Auge in die Seele, deren Sitz man bald im Herzen bald im Gehirn suchte. In der Seele wird aus der Empfindung oder Wahrnehmung eine Anschauung oder Vorstellung. Je feiner die Bilder sind, um so leichter dringen sie durch die Sinnesorgane bis zur Seele hindurch. In der Seele flattern solche Bilder stets in großer Zahl, so daß wir jederzeit dieses oder jenes uns vorstellen können. Noch in den Lehren Epikurs finden wir eine solche Anschauung in kaum abgeänderter Form. Als die Anatomie, Physiologie und Physik allmählich die Bedeutung der Sinnesorgane und des Zentralnervensystems etwas aufklärten, wurden die ältesten wirren Anschauungen etwas abgeändert, das Problem des Gedächtnisses selbst aber blieb ungelöst. Man suchte nach dem grandis memoriae recessus, wie Augustin[2]) den unbekannten Bewahrungsort unserer Erinnerungen nannte, und wurde nicht müde, durch Vergleiche das Haften der Empfindungen in Gestalt von Erinnerungen zu erklären. Sobald die Gehirnventrikel entdeckt worden waren, war es selbstverständlich, daß dem Gedächtnis ein Ventrikel reserviert wurde. Bei diesen mannigfachen Verteilungen der Seelenvermögen auf die Gehirnventrikel[3]) waren fast niemals Beobachtungen, sondern in der Regel ganz unbestimmte architektonisch-ästhetische Gefühle maßgebend. Das Haften der Empfindungen wurde am liebsten mit dem Haften der Eindrücke im Wachs verglichen. Es ist begreiflich, daß kritische Köpfe schon frühe die Nichtigkeit dieser angeblichen Erklärungen erkannten. So verstehen wir die Resignation eines Avicenna[4]), der jedes Sich-Erinnern für so unerklärlich und wunderbar hielt, daß er für jeden einzelnen Fall einer Erinnerung eine Einstrahlung göttlichen Lichtes annahm. Nur hier und da traten Vorahnungen einer richtigen Erkenntnis auf, nur hier und da wurden in naturwissenschaftlichem Geist Beobachtungen gesammelt.

Ich will Ihnen heute keine Geschichte der Lehre vom Gedächtnis geben, so interessant sie auch gerade wegen ihrer Irrwege in vielen Punkten ist. Vielmehr will ich heute nur das auslesen, was durch die wissenschaftliche Forschung wirklich festgestellt worden ist und als gesichert gelten kann.

Die ersten Tatsachen mußte die einfache Selbstbeobachtung feststellen. Wir haben viele Erinnerungen oder Erinnerungsbilder erworben, aber jeweils ist im Augenblick nur eine Erinnerung oder ein Erinnerungsbild uns gegenwärtig. Von den unzähligen Gegenständen, die sich mir eingeprägt haben und deren ich mich bei bestimmten Gelegenheiten erinnere, ist mir im Augenblick keine aktuelle Erinnerung gegeben. Plato hat diesen Sachverhalt durch einen seiner wunderbarsten Vergleiche erläutert[5]). Er vergleicht die zahllosen Erinnerungsbilder, die mir im Augenblick nicht gegenwärtig sind, mit Tauben, die ich in einem Käfig gefangen halte, das eine Erinnerungsbild, das ich im Augenblick wirklich habe, mit der Taube, die ich in der Hand halte. Die Tauben im Käfig muß ich erst einzeln haschen, damit ich sie wirklich habe. Wissenschaftlich bezeichnete man diesen Unterschied durch die Worte μνήμη (memoria oder conservatio) und ἀνάμνησις (reminiscentia oder reproductio). Wir sprechen jetzt gewöhnlich von latenten und aktuellen Erinnerungsbildern. Mein Denken schreitet von aktuellem zu aktuellem Erinnerungsbild fort. Fortwährend, mit jedem Wort, wird eine Taube gehascht, ein latentes in ein aktuelles Erinnerungsbild verwandelt. Diese fortlaufende Verwandlung bezeichnet man auch als Reproduktion. Unser Denken stellt sich uns dar als ein fortlaufendes Sich-Erinnern, als eine fortlaufende Reproduktion. Das einfache Zurückbleiben von latenten Erinnerungsbildern bezeichnet man am besten als Retention.

Nachdem dieser prinzipielle Unterschied festgestellt war, galt es offenbar Beobachtungen über diese aktuellen und, so weit möglich, auch über die latenten Erinnerungsbilder zu sammeln. Diese Beobachtungen mußten zunächst die phylogenetische Entwicklung des Gedächtnisses feststellen. Es wurde untersucht, wo in der Tierreihe zuerst Erscheinungen auftreten, welche im Sinne eines Gedächtnisses gedeutet werden müssen, d. h. also Bewegungen, welche augenscheinlich durch individuelle Erinnerungen beeinflußt sind. Noch heute sind diese Untersuchungen nicht zum Abschluß gekommen. Speziell ist die Frage, ob die Fische ein Gedächtnis besitzen, bis in das letzte Jahrzehnt Gegenstand lebhafter Diskussion gewesen. Eine Sammelforschung, über welche Edinger[6]) auf der Versammlung Deutscher Naturforscher und Aerzte in München im Jahre 1899 berichtete, ergab, daß das Gedächtnis der Fische jedenfalls äußerst dürftig ist. Aus zahlreichen Beobachtungen geht hervor, daß der angehakte Fisch, der den Haken abgerissen hat, oft unmittelbar nachher wieder an die gleiche Angel geht. Die Behauptung mancher Fischer, daß der Fisch die Angel „kenne“, erweist sich bei genauerer Analyse der angeblich beweisenden Beobachtungen als sehr fragwürdig. Auch der bekannte Hecht-versuch von Moebius gehört hierher. In einem Aquarium wurde ein Hecht von kleinen Futterfischen durch eine Glasscheibe getrennt. Angeblich fuhr er anfangs auf die Scheibe los und verletzte sich die Schnauze. Als nach einiger Zeit die Scheibe weggenommen wurde, soll das Tier auch nun auf die Futterfische nicht mehr losgegangen sein. Edinger hat mit Recht gegen diesen Versuch zahlreiche Bedenken geltend gemacht. Leidlich beglaubigt scheint nur die Angabe zu sein, daß Fische nach oft wiederholtem Füttern nicht mehr allein auf die in das Wasser geworfenen Brocken losschwimmen, sondern auch zu der Person des Fütterers hinschwimmen, bevor er die Brocken in das Wasser geworfen hat. Freilich dürfen wir dabei nicht übersehen, daß alle diese Versuche relativ grob sind und sich von den Bedingungen, an welche im gewöhnlichen Dasein der Fische Gedächtnisleistungen anknüpfen könnten, zu weit entfernen. Bei Fröschen und Eidechsen beobachten wir bereits ganz eindeutige Gedächtniserscheinungen[7]). Bei niederen Säugern gelingt es sogar die Gedächtnisleistungen vergleichend zu messen[8]). Man verwendet hierzu sogenannte Labyrinthversuche. Die Ratte wird beispielsweise an den Eingang eines solchen Labyrinths gebracht, in dessen Mitte sich irgend ein Leckerbissen befindet. Anfangs schlägt die Ratte regelmäßig Fehlwege, absichtlich angebrachte Sackgassen ein, aber allmählich lernt sie sofort den richtigen Weg finden. Die Zeit, welche bis zu diesem Lernen verstreicht, kann geradezu als Maß des Gedächtnisses dienen.

Nicht weniger interessant ist die ontogenetische Entwicklung des Gedächtnisses bei dem menschlichen Kind[9]). Wahrscheinlich finden sich hier schon in den ersten Lebenswochen Gedächtniserscheinungen. Die allgemeine Frage, wann Gedächtnis zuerst auftritt, wird sich überhaupt als unzweckmäßig erweisen. Man sollte vielmehr stets die Frage wenigstens speziell mit Bezug auf das optische und akustische Gedächtnis stellen usw. Aus der Fülle der Tatsachen, welche auf diesem Gebiet in den beiden letzten Jahrzehnten exakt festgestellt worden sind. will ich heute nur hervorheben, daß das menschliche Kind in der Regel schon im 2. Vierteljahr einzelne menschliche Gesichter wiedererkennt und unterscheidet, d. h. durch differenten Gesichtsausdruck oder andere Reaktionen zeigt, daß es sich eines Gesichtes erinnert oder nicht erinnert. Mit zunehmendem Alter steigern sich die Gedächtnisleistungen des Kindes augenscheinlich erheblich. Noch bei Kindern von 6—10 Jahren fällt jedoch auf, wie unzuverlässig die Erinnerung für Erlebnisse und Erlebnisreihen ist[10]). Fast von Jahr zu Jahr läßt sich hier ein Fortschritt verfolgen. Es wird sich allerdings bald ergeben, daß hieraus nicht auf ein geringeres Haften des einzelnen Erinnerungsbildes geschlossen werden darf, vielmehr ist es wahrscheinlich nur der Akt der Reproduktion, welcher bei Kindern noch weniger leicht von statten geht.

Entscheidende Aufschlüsse vermag begreiflicher Weise nur die Beobachtung des Erwachsenen zu geben. Es ist schon sehr lehrreich, einmal geflissentlich das Verhalten des Erinnerungsbildes nach dem Verschwinden einer ganz einfachen Empfindung zu beobachten. Ich habe beispielsweise einen Akkord angeschlagen oder einen grauen Würfel kurze Zeit fixiert und versuche nach dem Verklingen des Akkords bzw. nach dem Schluß der Augen das Erinnerungsbild festzuhalten. Dabei überzeugt man sich sofort von der Irrtümlichkeit einer Auffassung, von welcher die Psychologie lange beherrscht wurde. Man glaubte nämlich früher, die Erinnerungsbilder seien nichts anderes als abgeschwächte Empfindungen. Am schärfsten hat Hume[11]) diesen Satz vertreten. Für ihn sind die ideas, d. h. die Erinnerungsbilder, nur faint impressions. d. h. schwache Empfindungen. Ebenso sprach Hobbes[12]) von einem phantasma dilutum. Demgegenüber lehrt eine sorgfältige Selbstbeobachtung schon in den oben erwähnten einfachen Beispielen, daß der Unterschied nicht nur ein intensiver, sondern vor allem ein qualitativer ist. Wenn ich einen Reiz allmählich bis zur Reizschwelle abnehmen lasse, so setzt sich die dieser Reizskala entsprechende Empfindungsreihe nicht etwa weiter in dem Erinnerungsbilde fort, sondern dieses schließt sich an die stärkste und an die schwächste Empfindung in ganz gleicher Weise an. Es steht dieser nicht näher als jener. Die Vorstellung eines Glühwürmchens ist oft nicht weniger intensiv als die Vorstellung der grellsten Mittagssonne. Die Erinnerung an die Sonne ist eine Erinnerung an eine intensivere Empfindung, aber die Erinnerung selbst ist nicht intensiver. Mit anderen Worten: die Intensität der Empfindung geht ganz in den Inhalt des Erinnerungsbildes über, überträgt sich aber nicht auf das Erinnerungsbild selbst. Unsere Erinnerungen selbst sind nicht laut oder leise, lichtstark oder lichtschwach. Dies Verhalten der Intensität der Empfindung tritt noch schärfer hervor, wenn wir es mit dem Verhalten einer anderen Eigenschaft der Empfindung, dem Gefühlston vergleichen. Dieser geht nicht nur in den Inhalt des Erinnerungsbildes über, sondern überträgt sich auch als solcher auf das Erinnerungsbild. Die Erinnerung an eine glückliche Stunde ist nicht nur die Erinnerung an Lustgefühle, sondern diese Erinnerung selbst ist von Lustgefühlen begleitet. Der Gefühlston wird in der Erinnerung mit reproduziert. Auf dieser fundamentalen Eigenschaft unseres Gedächtnisses beruht unser ganzes Affektleben. Hier interessiert sie uns nur im Gegensatz zu dem Verhalten des Gedächtnisses gegenüber der Intensität der Empfindung. Das Erinnerungsbild unterscheidet sich, so können wir jetzt mit Bestimmtheit sagen, von der Empfindung nicht durch die Intensität, sondern vor allem qualitativ. Dieser qualitative Unterschied ist ganz undefinierbar[13]), er ist nur erlebbar. In dem Augenblick, wo die Empfindung verschwindet und die Erinnerung an ihre Stelle tritt, vollzieht sich ein merkwürdiger Sprung. Man kann diesen Unterschied durch den Terminus „sinnliche Lebhaftigkeit" bezeichnen, muß sich nur klar darüber sein, daß man damit den Unterschied nicht definiert, sondern nur im Interesse der Verständigung mit einem Namen belegt hat.

Weitere Aufschlüsse ergeben sich, wenn wir ein einzelnes einfaches Erinnerungsbild etwas länger verfolgen. Man überrascht sich dann dabei, wie man den grauen Würfel in das Eigenlicht der Netzhaut gewissermaßen hineinzuzeichnen oder den Akkord aus den leisen uns immer umgebenden Geräuschen herauszuhören versucht. Auch mit leichten Augen- oder Handbewegungen umziehen wir gelegentlich das Erinnerungsbild des Würfels, mit leichten Taktbewegungen begleiten wir das Erinnerungsbild einer Melodie. So versuchen wir unsern Erinnerungsbildern ihre sinnliche Unterlage wenigstens irgendwie wiederzugeben. Das Erinnerungsbild selbst aber besteht nicht in diesen gelegentlichen Begleitempfindungen. Ein längeres Festhalten gelingt uns überhaupt nicht. Es zerfließt gewissermaßen fortwährend unter dem Einfluß anderer Erinnerungen bzw. Vorstellungen, von denen wir es nicht isolieren können. Wir sind zu einer konstanten Reproduktion eines Erinnerungsbildes mit anderen Worten gar nicht fähig. Das Erinnerungsbild entweicht in jenen grandis recessus memoriae. Aus diesem können wir es jederzeit reproduzieren, aber jede Reproduktion ist immer zeitlich beschränkt.

Und auch in jenem grandis recessus bleiben die Erinnerungsbilder, wie wir alle wissen, nicht unangetastet. Sie fallen allmählich dem Vergessen anheim. Die experimentelle Psychologie vermag diesen Vorgang bis in alle Einzelheiten zu verfolgen. Man wählt zu solchen Versuchen Empfindungen bzw. Reize, welche sich leicht zahlenmäßig ausdrücken lassen. Linien- und Winkelgrößen[18]), Schall- und Lichtintensitäten usw. eignen sich hierzu in erster Linie. Aber auch das Gedächtnis für Qualitäten läßt sich auf demselben Weg rechnerisch verfolgen. So können wir z. B. die optischen Qualitäten, die Spektralfarben durch ihre Wellenlänge zahlenmäßig ausdrücken. Wir verfahren nun so, daß wir beispielsweise eine Linie von bekannter Ausdehnung oder eine Farbe von bestimmter Wellenlänge der Versuchsperson während einer bestimmten Expositionszeit vorlegen und nach einem variablen Intervall die Linie bzw. die Farbe von der Versuchsperson reproduzieren lassen. Diese Reproduktion geschieht am einfachsten in der Weise, daß die Versuchsperson nach Ablauf des Intervalls die Linie bzw. Farbe unter einer Skala von Linien oder Farben wieder herausfinden muß. Der durchschnittliche Fehler, den sie hierbei begeht, ausgedrückt in Millimetern bzw. Mikromillimetern, gibt mit einigen Einschränkungen geradezu ein Maß für das Gedächtnis ab. Für die praktische Ausführung der Versuche bedient man sich übrigens meist einer noch einfacheren, von Fechner angegebenen Methode, der sog. Methode der richtigen und der falschen Fälle. Jedenfalls gelingt es so mit großer Sicherheit das Schicksal unsrer einfachen Erinnerungsbilder zu verfolgen. Es hat sich bei solchen Versuchen ergeben, daß die meisten Erinnerungsbilder keineswegs gleichmäßig, also proportional dem Intervall verblassen, sondern daß die Kurve des Vergessens wesentlich von einem solchen geradlinigen Verlauf abweicht. Anfangs nämlich erfolgt das Abblassen des Erinnerungsbilds unverhältnismäßig langsam, und erst nach einer ziemlich beträchtlichen Zeit erfolgt dann ein sehr rasches Abblassen. Dieser „kritische Punkt“ der Kurve hat eine Lage, die von der individuellen Veranlagung, der Qualität des Reizes und anderen Faktoren abhängt.

Die Pathologie liefert hierzu einen sehr bemerkenswerten Beitrag. Meist wird gelehrt, daß bei den sog. Defektpsychosen, d. h. bei denjenigen Geisteskrankheiten, welche wie z. B. die Dementia paralytica und die Dementia senilis eine Abnahme des Gedächtnisses zeigen, zunächst das Gedächtnis für Neues und Jüngstvergangenes leide, und daß erst ganz allmählich die Gedächtnisabnahme immer weiter rückwärts greife und schließlich sich auch auf das Längstvergangene erstrecke. Eingehende Untersuchungen haben mir gezeigt, daß auch in pathologischen Fällen der Gedächtnisdefekt in der Regel zunächst an dem soeben erwähnten kritischen Punkt einsetzt. Von diesem kritischen Punkt aus breitet sich dann der Gedächtnisdefekt sehr rasch auf das Jüngstvergangene und sehr langsam auf das Längstvergangene aus. Der beginnende Paralytiker vermag zuweilen vorgesprochene sechs-, acht- und selbst neunstellige Zahlenreihen noch richtig zu wiederholen und kann ein Rechenexempel, das er vor einer Minute gerechnet hat, noch richtig angeben, hingegen hat er vergessen, was er vor einigen Tagen oder Wochen oder Monaten erlebt hat[14]). Insofern schlägt also der pathologische Gedächtnisverlust in der Regel ganz denselben Weg ein wie der physiologische, den wir bei dem Gesunden auf jeder Lebensstufe und ganz besonders im Alter beobachten. Der Unterschied ist meistens nur ein quantitativer. Allerdings kommen vereinzelt auch Fälle vor, in welchen sehr charakteristisch ist, daß von Anfang an das Gedächtnis für das Neueste, die sog. Merkfähigkeit ganz besonders leidet. So beobachtet man gelegentlich bei Alkoholisten, namentlich wenn zugleich eine multiple Alkoholneuritis besteht, ferner in manchen Fällen von Hirnsyphilis und von seniler Demenz einen solchen „Merkdefekt“. Die Kranken haben am Nachmittag vergessen, wo sie am Vormittag gewesen sind. Man mag ihnen die Jahreszahl immer wieder vorsprechen: schon nach einer Minute ist sie wieder vergessen. Dieser sog. Korsakoff'sche Symptomenkomplex, zu dem auch die Neigung zu phantastischen Erinnerungstäuschungen gehört, beruht wahrscheinlich darauf, dass schon die erste Niederlegung des Erinnerungsbildes in abnormer Weise vor sich geht. Es handelt sich mehr um eine Störung der Deposition als der Retention als solcher. Die eigentlichen Retentionsstörungen scheinen in der Tat stets dem Gesetz des kritischen Punktes zu folgen.

Man kann auch fragen, worin dieses Angetastetwerden der Erinnerungsbilder bei dem Vergessen besteht. Sicher handelt es sich nicht um eine einfache Intensitätsabnahme. Das Abblassen des Erinnerungsbildes ist ein qualitativer Vorgang, durch den die Deutlichkeit des Erinnerungsbildes, d. h. seine Uebereinstimmung mit der Grundempfindung allmählich zerstört wird. Die Fehlerbreite bei der Reproduktion wird dementsprechend immer größer. Auch dürfen wir uns diesen Vorgang keinesfalls als einen rein passiven denken. Auch bei dem Geistesgesunden vollziehen sich unterhalb der Bewußtseinsschwelle an den Erinnerungsbildern aktive Transformationen. Ich habe mich z. B. vielfach experimentell davon überzeugt, daß ein Erlebnis oder eine Erzählung nach einem Intervall von einigen Wochen oder Monaten, während dessen jede Reproduktion vermieden wurde, in vielen Punkten erheblich verändert reproduziert wird. Es sind nicht nur Lücken von dem Vergessen gerissen worden und die Tatsachen bis zur Undeutlichkeit verblaßt, sondern auch positive Veränderungen sind erfolgt. Es handelt sich bei diesen Zutaten um den Prozeß, den französische Psychologen sehr charakteristisch als „cérébration inconsciente" bezeichnet haben. Unsere latenten Erinnerungsbilder sind dem Einfluß der Ideenassoziation nicht entzogen. Unterhalb der Bewußtseinsschwelle werden sie durch das bewußte Spiel der Vorstellungen transformiert. Zahlreiche Tatsachen der Psychologie der Aussage lassen sich nur auf diesem Wege erklären. Vollends zeigt uns die Beobachtung des Geisteskranken diese aktiven oder positiven Transformationen in ganz unzweideutiger Form. Die sog. Erinnerungstäuschungen oder Konfabulationen sind nichts anderes als solche Transformationen der Erinnerungsbilder. Sie können mit einer abnorm lebhaften Phantasie verbunden sein, sind es aber keineswegs stets. Mit der bewußten Tätigkeit der Phantasie haben sie überhaupt nur in vereinzelten Fällen etwas zu tun.

Ebenso wie die Gesetze der Retention sind auch die Gesetze der Reproduktion durch die systematische experimentelle Beobachtung im Laufe der letzten Jahrzehnte mit genügender Sicherheit festgestellt worden. Eine willkürliche Reproduktion im Sinne einer an keine Gesetze gebundenen, nicht nezessitierten Reproduktion existiert nicht. Man kann das Hauptgesetz der Reproduktion durch folgenden Satz ausdrücken: ein Erinnerungsbild kann nur durch eine Empfindung, welche seiner Grundempfindung ähnlich ist, oder durch ein anderes Erinnerungsbild, mit welchem es früher einmal oder öfter gleichzeitig aufgetreten ist, reproduziert werden. Das Kind, welches zum ersten Male einen Wolf sieht, wird sich dabei des Hundes erinnern, weil dieser jenem ähnlich ist. Andererseits wird ihm das Erinnerungsbild des Hundes auch aufsteigen, wenn es die Hundehütte sieht, vor der es den Hund oft hat liegen sehen. Wir sprechen im ersteren Fall von Aehnlichkeitsassoziation, im letzteren von Gleichzeitigkeitsassoziation oder auch von assoziativer Verwandtschaft. Je nachdem für ein Erinnerungsbild viel oder wenig ähnliche Empfindungen vorhanden sind, und je nachdem ein Erinnerungsbild mit vielen oder wenigen anderen Erinnerungsbildern durch Gleichzeitigkeitsassoziation verknüpft ist, ist seine Aussicht, reproduziert zu werden, größer oder kleiner. Wenn wir oft, wie man zu sagen pflegt, auf einen Namen oder ein anderes Wort „nicht kommen“, so handelt es sich meistens um ein Erinnerungsbild, das nur wenige assoziative Verknüpfungen hat. Dazu kommt weiter, daß nicht nur die Zahl der assoziativen Verknüpfungen, sondern auch die Häufigkeit der einzelnen assoziativen Verknüpfung maßgebend ist. Der Name Kant erinnert mich z. B. meist an die Kritik der reinen Vernunft oder an den kategorischen Imperativ, weil die Vorstellung Kant am häufigsten gleichzeitig mit einer dieser beiden Vorstellungen bei mir aufgetreten ist.

Von ganz besonderer Bedeutung ist ferner bei der Reproduktion der Gefühlston der Erinnerungsbilder. Erinnerungsbilder, welche von einem starken positiven oder negativen Gefühlston begleitet sind, werden leichter reproduziert. Wenn mir eine Stadt genannt wird, so fällt mir in erster Linie ein, was ich dort Angenehmes und Unangenehmes erlebt, Schönes und Häßliches gesehen habe u. s. f. Insofern kann man geradezu von einer Auslese oder Selektion des Gedächtnisses sprechen. Sorgfältige Beobachtung lehrt sogar noch mehr. Im allgemeinen sind die von positiven Gefühlstönen begleiteten Erinnerungen leichter reproduzierbar als die von negativen Gefühlstönen begleiteten.[15]) Der Schleier, den das Vergessen über die Vergangenheit wirft, liegt dichter über den unangenehmen Erinnerungen. Wenn wir uns an einem Ort auch oft recht unglücklich gefühlt haben, erscheint er uns nachher in der Erinnerung wunderbar verschönt. Alles Unangenehme ist vergessen, und nur das Angenehme wird reproduziert. Selbst der eingefleischte Pessimist ist diesem psychologischen Gesetz nicht ganz entzogen. Sein Pessimismus bezieht sich viel mehr auf die Gegenwart und die Zukunft als auf die Vergangenheit. Das Wort dulce est praeteritorum malorum reminisci gründet sich nicht nur auf die Freude des Ueberstandenhabens und den Kontrast der glücklicheren Gegenwart, sondern vor allem auch auf die soeben kurz geschilderte optimistische Selektion unseres Gedächtnisses. Freilich gilt dies Gesetz nur für neutrale und für positive Stimmungslagen. Bei negativer Stimmungslage, also bei Traurigkeit, kehrt sich die selektive Tendenz um: traurige Erinnerungen werden dann leichter reproduziert als heitere. Am ausgeprägtesten zeigt dies die Melancholie, bei der die Reproduktionsfähigkeit für alle freundlichen Erinnerungen geradezu aufgehoben ist.[16])

Von dem Standpunkt, den wir jetzt erreicht haben, erscheint es nunmehr auch unzulässig zu fragen, bis zu welchem Alter das Gedächtnis zunimmt, und von welchem Alter ab es abnimmt. Wir müssen eben streng zwischen der Retention und der Reproduktion unterscheiden. Die Fähigkeit der Retention erreicht schon sehr früh, spätestens in der Pubertät ihren Höhepunkt.[17]) Die Reproduktionsfähigkeit als solche ist bei dem Kind noch sehr klein und nimmt bis etwa in das 5. Lebensjahrzehnt zu. Es ist z. B. auffällig, wie wenig Kinder bis zum 15. Lebensjahr von einer Reise behalten. Der Erwachsene ist ihnen hierin weit überlegen. Dieser Unterschied beruht nicht auf der besseren Retentionsfähigkeit des Erwachsenen. Vielmehr ist entscheidend nur die Tatsache, daß der Erwachsene bereits über ein sehr viel größeres Material von Erinnerungsbildern verfügt und daher seine neuen Erlebnisse, z. B. auf einer Reise, mit viel mehr alten Erinnerungsbildern assoziativ verknüpfen kann.[18]) Von der Zahl dieser assoziativen Verknüpfungen hängt aber, wie sich oben ergeben hat, die Reproduzierbarkeit der Vorstellungen in erster Linie ab. Wir verhaken oder verankern unsere Erinnerungsbilder gewissermaßen viel besser, oder, um einen sehr bezeichnenden Ausdruck Herbart's zu gebrauchen, wir verfügen über viel mehr „Hilfen". Es ist daher ganz sinnlos, von einer Abnahme und Zunahme des Gedächtnisses schlechthin zu sprechen. Wollen wir durchaus das Maximum unserer Gedächnisleistungen zeitlich fixieren, so müßten wir denjenigen Punkt aufsuchen, wo das Optimum der Retention noch nicht zu weit hinter uns liegt und das Optimum der Reproduktion schon sich nähert. Jedenfalls liegt dieser Punkt erheblich jenseits der Pubertät.

Mit diesen Feststellungen ist im großen und ganzen erschöpft, was die Psychologie in der Lehre vom Gedächtnis unabhängig von der Hirnphysiologie im allgemeinen zu leisten vermag. Durch die Heranziehung der Hirnphysiologie, der pathologischen wie der experimentellen, ist es gelungen, weitere Aufschlüsse zu erlangen. Erst die Hirnphysiologie hat uns gezeigt, daß ein allgemeines Gedächtnis überhaupt nicht existiert, sondern nur Teilgedächtnisse. Die älteste physiologische Psychologie zur Zeit der griechisch-römischen Aerzte und zur Zeit der Patristen hatte fast spielend das Gedächtnis bald in diese, bald in jene Hirnregion verlegt.[19]) In den folgenden Jahrhunderten wurden überhaupt keine physiologischen Lokalisationen des Gedächtnisses versucht. Erst Gall, dem die Hirnanatomie so außerordentliche Entdeckungen verdankte, versuchte wieder eine Lokalisation des Gedächtnisses, und zwar wies er ihm den Sitz in der Stirnregion an. Die Unterscheidung der einzelnen Sinnesgedächtnisse lag ihm noch fern, statt dessen nahm er eine mémoire des choses, mémoire des personnes, mémoire des mots u. s. f. an und wies jedem dieser Einzelgedächtnisse einen bestimmten Sitz zu.[20]) Schon sehr bald setzte die Reaktion ein, und nun wurde gelehrt, daß jeder kleinste Teil der Großhirnrinde alle psychischen Funktionen, also auch diejenige des Gedächtnisses habe. Dabei wurde aber in Uebereinstimmung mit Gall das Gedächtnis noch immer als unteilbare Funktion betrachtet. Selbst die ersten Entdeckungen Hitzig's schufen hierin keinen Wandel. Erst die Untersuchungen Munk's brachen der richtigen Erkenntnis Bahn, daß nicht nur die Empfindungen, sondern auch die Erinnerungsbilder der verschiedenen Sinnesgebiete an weit auseinander gelegenen Orten der Hirnrinde zu lokalisieren sind. Nach den älteren Anschauungen waren es dieselben Elemente der Hirnrinde, welche bald die Erinnerung optischer Empfindungen, bald die Erinnerung akustischer Empfindungen usw. reproduzierten. Jetzt war man gezwungen, eine optische, eine akustische, eine taktile Erinnerungssphäre zu unterscheiden. Alle Untersuchungen der letzten 30 Jahre — seit dem ersten Vortrag Munk's im Jahre 1877[21]) — haben diesen Satz bestätigt. Das Gedächtnis im allgemeinen ist eine Abstraktion. Es existiert ebensowenig, wie etwa ein Säugetier im allgemeinen existiert. Allenthalben existieren nur Partialgedächtnisse. Damit hat die Hirnphysiologie der Psychologie und speziell auch der Psychopathologie eine äußerst folgenreiche Einsicht eröffnet. An Stelle der allgemeinen Gedächtnisuntersuchungen traten Untersuchungen der Spezialgedächtnisse. Für jedes Sinnesgebiet liegen heute ausgezeichnete derartige Abhandlungen vor.

Mit diesem Fortschritt der Erkenntnis ergab sich sofort eine weitere Fragestellung: deckt sich für jedes

Sinnesgebiet die Erinnerungssphäre mit der Empfindungssphäre der Großhirnrinde? Mit anderen Worten: sind es dieselben Elemente, welche bei der Empfindung und bei der Erinnerung tätig sind? Die Beantwortung dieser Frage ist noch nicht mit absoluter Sicherheit gelungen. Munk selbst nahm an, daß die Empfindungssphäre, beispielsweise die Sehsphäre im Ganzen den Empfindungen diene, und daß nur ein relativ beschränkter Teil, die von ihm als A_1 bezeichnete Stelle, für die Niederlegung der Erinnerungsbilder bestimmt sei. Er dachte sich, daß die Erinnerungsbilder in der Reihenfolge etwa, wie die Empfindungen zuströmen, gewissermaßen von einem zentralen Punkt aus in immer größerem Umkreis deponiert würden. Demgegenüber wurde von anderer Seite eine viel weitergehende Trennung angenommen. So ist die Anschauung heute sehr verbreitet[22], daß die Umgebung der Fissura calcarina auf der Medialfläche des Gehirns dem Sehen selbst, also den Gesichtsempfindungen diene, während das optische Erinnern auf der lateralen Fläche des Occipitallappens lokalisiert sein soll. Schließlich hat eine dritte Gruppe die Ansicht vertreten, daß buchstäblich in denselben Elementen einerseits der Empfindungsakt und andererseits der Erinnerungsakt sich abspiele. Ein entscheidender Beweis für die Trennung der empfindenden und der erinnernden Elemente wäre offenbar gegeben, wenn wir Fälle nachweisen könnten, in welchen beispielsweise die optischen Empfindungen ganz intakt waren, während die optischen Erinnerungen schwer geschädigt oder zerstört waren[23]). Es ist dies bekanntlich der Zustand, den man nach Munk als Seelenblindheit bezeichnet hat. Der Nachdruck ist dabei auf die absolute Intaktheit der Empfindungen zu legen. Wenn nämlich die Empfindungen nicht absolut intakt sind, also das Sehen — um bei dem Gesichtssinn zu bleiben — doch auch leicht gestört ist, so würde ein solcher Fall der Annahme des absoluten Zusammenfallens der empfindenden und der erinnernden Elemente nicht widersprechen; man hätte, um die Annahme zu halten, nur vorauszusetzen, daß die Erinnerungsfunktion der hypothetischen Elemente leichter leide als die Empfindungsfunktion. Hingegen ist allerdings ein Fall reiner Seelenblindheit bei absoluter Intaktheit der optischen Empfindungen mit der Annahme der Identität der empfindenden und der erinnernden Elemente unverträglich. Man kann sich nicht wohl vorstellen, daß irgend ein pathologischer Prozeß in den hypothetischen Elementen mit doppelter Funktion ausschließlich nur die eine Funktion zerstört und die andere ganz unversehrt läßt. Das ist um so mehr ausgeschlossen, als es sich bei den in Frage kommenden Fällen nicht um feine mikroskopische, sondern grobe makroskopische Zerstörungsprozesse handelt.

Was lehrt nun eine Umschau über die Kasuistik? Zunächst scheiden die Tierversuche fast vollständig aus. Wie schon Mauthner[24]) gegenüber Munk hervorhob, ist bei dem Tierversuch nicht ausgeschlossen, daß die angebliche Seelenblindheit, d. h. also die Unfähigkeit des optischen Wiedererkennens einfach auf einer Abnahme der Schärfe der optischen Empfindungen z. B. speziell im Bereich der Macula lutea beruht. Bei dem Tier, speziell auch bei dem Hund und Affen, die namentlich für solche Versuche in Betracht kommen, ist eine Feststellung, ob die optischen Empfindungen wirklich ganz intakt sind, schlechterdings nicht möglich. Aber auch die Erfahrungen am Krankenbett sind viel spärlicher, als man zunächst glauben möchte. Die Untersuchungen der Empfindungsfähigkeit lassen in den meisten der zur Zeit vorliegenden Krankengeschichten sehr viel zu wünschen übrig. Auf dem Gebiet des Gesichtssinnes ist beispielsweise eine Sehprüfung mit Hülfe der Snellenschen Proben durchaus unzureichend, ganz abgesehen davon, daß andererseits eine solche Prüfung keine ausschließliche Empfindungsprüfung ist, sondern auch ein Wiedererkennen verlangt. Verwertbar sind vielmehr nur Fälle, in denen die Licht- und Farbenempfindlichkeit und die räumlichen Eigenschaften der Gesichtsempfindung[25]) nach streng-psychologischen Methoden untersucht worden sind.

Ebenso genügt auf dem Gebiet des Gehörsinns nicht etwa die Prüfung der Hörfähigkeit für Flüstersprache, sondern wenigstens ist eine Prüfung mit Hülfe der kontinuierlichen Bezoldschen Tonreihe und die Untersuchung der Perzeptionsdauer erforderlich; wenn irgendmöglich ist auch die Schallempfindlichkeit mit Hülfe des Fallphonometers zu prüfen[26]).

Legt man nun diesen strengen Maßstab an die Kasuistik an, so ergibt sich — ich muß gestehen, zu meinem eigenen Befremden —, daß kein einziger Fall den oben gestellten Anforderungen vollkommen genügt. So sind in der Literatur allerdings einige leidlich untersuchte Fälle von allgemeiner Seelenblindheit niedergelegt, in welchen bei angeblich intakter Sehschärfe die Objekte mit Hülfe des Gesichtssinns nicht erkannt wurden. Durchweg vermißt man jedoch genügende Belege für die Behauptung, daß die Sehschärfe intakt gewesen ist. Dabei sehe ich von der Komplikation mit Hemianopsie, zentralem Skotom

u. s. f. noch ganz ab. Immerhin finden sich wenigstens einige Fälle, in denen allerdings ein erhebliches Mißverhältnis zwischen der Störung des Wiedererkennens und der Störung der Sehschärfe vorhanden war. Beispielsweise war ersteres völlig aufgehoben und die Sehschärfe wenigstens so weit untersucht, daß eine erheblichere Störung des Sehens mit Sicherheit ausgeschlossen werden kann. Auf dem Gebiet des Gehörsinns fehlen zuverlässige Beobachtungen von wirklich isolierter allgemeiner Seelentaubheit vollständig.

Sonach würde die Lehre von der Trennung der Empfindungs- und der Gedächtniselemente in der Tat auf recht schwachen Füßen stehen, wenn nicht auf einem Spezialgebiet beweisendere Beobachtungen vorlägen, nämlich auf dem Gebiet der Sprache[27]). Die Wortblindheit oder Alexie ist nichts Anderes als ein Spezialfall der Seelenblindheit, die Worttaubheit oder sensorische Aphasie nichts Anderes als ein Spezialfall der Seelentaubheit. Insbesondere liefert die Kasuistik der sensorischen Aphasie einige Fälle, die den oben gestellten Anforderungen einigermaßen genügen.

Der Sensorisch-Aphasische hört die zu ihm gesprochenen Worte, aber sie kommen ihm, weil er die akustischen Erinnerungsbilder der Worte verloren hat, ganz fremd vor und werden von ihm daher auch nicht verstanden. Es kommt nun alles darauf an, ob in diesen Fällen die Gehörsempfindungen wirklich ganz intakt sein können. Wernicke, der Entdecker der sensorischen Aphasie, hat später behauptet, daß bei der sensorischen Aphasie ganz regelmäßig auch Hörstörungen vorhanden seien. Speziell sollten nach Wernicke[28]) u. A. gerade diejenigen Tonhöhen ausgefallen sein, innerhalb deren sich das gewöhnliche Sprechen bewegt. Der Sensorisch-Aphasische wäre also nach Wernicke nur deshalb für Worte seelentaub, weil er die Worte nicht ausreichend hört. Ich kann dieser Behauptung Wernickes, für die er übrigens auch keinen irgendwie beweisenden Fall beigebracht hat, nur entschieden widersprechen. Es gibt Fälle schwerer sensorischer Aphasie, in welchen die in Betracht kommenden Töne der menschlichen Sprache noch sehr gut gehört werden. Solchen Fällen gegenüber läßt sich die Wernickesche Hypothese schlechterdings nicht halten. Andererseits ist allerdings zuzugeben, daß auch diese Fälle bezüglich der Genauigkeit der Hörprüfung noch immer etwas zu wünschen übrig lassen. Hier bleibt der weiteren Forschung ein sehr dankbares Gebiet. Vorbehaltlich solcher weiteren Untersuchungen läßt sich jedoch so viel schon heute sagen: es existieren einige Fälle — ich selbst habe ebenfalls solche beobachtet —, in welchen bei schwerer sensorischer Aphasie[29]) die Hörprüfung wenigstens so sorgfältig angestellt wurde, daß eine irgend erheblichere Störung des Hörens bestimmt ausgeschlossen werden konnte[30]).

Nicht ganz so günstig sind die klinischen Erfahrungen bezüglich der Wortblindheit[31]). Weder aus der Literatur noch aus meiner eigenen Erfahrung ist mir ein Fall bekannt, in dem ähnlich wie bei manchen Fällen von Worttaubheit eine erheblichere Empfindungsstörung ganz ausgeschlossen werden kann. Immerhin nähern sich einige Fälle auch hier dem von uns postulierten Idealfall. Zusammenfassend darf man also wohl sagen, daß die pathologische Kasuistik sehr bedeutungsvolle Hinweise auf die

Trennung der Gedächtniselemente von den Empfindungselementen liefert.

Ich glaube hier allerdings einen ziemlich nahe liegenden Einwand zu hören. Man könnte sagen, daß gerade die Seltenheit der von uns postulierten Fälle beweise, daß die behauptete Trennung nicht vorhanden sei. Dieser Einwand ist jedoch unberechtigt. Erstens sind die Fälle von Seelenblindheit, Seelentaubheit, Wortblindheit und Worttaubheit überhaupt nicht häufig. Zweitens ist der psychische Zustand dieser Kranken sehr oft nicht normal, so daß entweder wegen Benommenheit oder wegen Intelligenzdefekt eine sorgfältige Untersuchung nicht möglich ist; alle derartigen Fälle scheiden selbstverständlich aus. Drittens ist die Untersuchung seither meistens nicht sorgfältig genug gewesen, weil man die Pointe der ganzen Frage, die Intaktheit der Gehörs- und Gesichtsempfindungen, nicht ausreichend würdigte. Endlich ist es durchaus begreiflich, daß isolierte Seelenblindheit usw. selbst bei völliger Trennung der Erinnerungsfelder von den Empfindungsfeldern selten zur Beobachtung kommt. Die meisten Herderkrankungen des Gehirns sind vaskulären Ursprungs, und die Provinzen der einzelnen Hirnarterien entsprechen bemerkenswerter Weise durchaus nicht etwa scharf abgegrenzten Funktionsgebieten. In der Regel erstreckt sich das Gebiet einer Arterie über Gebiete verschiedener Funktionen. Bei allen vaskulären Herderkrankungen ist es also geradezu ausgeschlossen, daß sie nur eine Funktion zerstören. Erst recht ist es bei Geschwülsten, Abszessen u. s. f. als ein ganz besonderer Zufall anzusehen, wenn die Zerstörung sich gerade nur auf ein physiologisches Gebiet beschränkt. Mit anderen Worten die

Seltenheit der von uns postulierten Fälle spricht nicht gegen die Trennung der Gedächtniselemente und der Empfindungselemente.

Stellen wir uns nun auf diesen Standpunkt der Trennung, so kann man sich den Grad dieser Trennung noch sehr verschieden denken. Man könnte einerseits wenigstens ein teilweises Zusammenfallen, etwa im Sinne der ersten Lehren Munks annehmen. Man könnte andererseits bei völliger Trennung sich denken, daß etwa eine Rindenschicht die Gedächtniselemente, eine andere die Empfindungselemente enthalte. Endlich könnte man sich vorstellen, daß jene und diese in ganz getrennten Rindenterritorien gelegen seien. In letzterem Fall würde also auf der Oberfläche der Großhirnrinde ein optisches Erinnerungsfeld und ein optisches Empfindungsfeld, ein akustisches Erinnerungsfeld und ein akustisches Empfindungsfeld zu unterscheiden sein. Innerhalb eines jeden Erinnerungsfeldes wäre dann noch ein Spezialfeld für die Wortbilder anzunehmen. Es gibt eine Tatsache, welche allerdings sehr zugunsten der territorialen Trennung im Sinne der letztgenannten Ansicht spricht. Es ist durch viele Beobachtungen festgestellt, daß Sehstörungen, d. h. Störungen der optischen Empfindungen durch Zerstörung der Rinde in der Umgebung der Fissura calcarina auf der Medialfläche zu stande kommen. Andrerseits findet man bei zentraler Wortblindheit sehr regelmäßig eine Zerstörung in dem weit abgelegenen Gyrus angularis auf der lateralen Konvexität der linken Hemisphäre [32]. Selbst wenn man mit Monakow und einigen Anderen der Sehsphäre eine erheblich größere Ausdehnung als das Bereich der Fissura calcarina zuschreibt, wird man sie doch wohl kaum bis zum

Gyrus angularis einschließlich ausdehnen können. Dem widersprechen alle anatomischen und speziell auch alle entwicklungsgeschichtlichen Daten über den Verlauf der Opticusfasern und vor allem auch die pathologischen Erfahrungen. Letztere zeigen, daß zur völligen Blindheit Zerstörung des Gyrus angularis durchaus nicht notwendig ist. Auch die Erfahrungen über sekundäre Degeneration der zentralen Sehbahn sprechen sehr dagegen, daß der Gyrus angularis eine Endstätte von Sehfasern ist. Wenn dies Alles aber so ist, so wird man sich sehr schwer der Annahme entziehen können, daß wenigstens die optischen Erinnerungsbilder der Worte in einem anderen Rindenterritorium zu suchen sind als die optischen Empfindungen, und der Analogieschluß auf eine territoriale Trennung auch aller anderen Erinnerungssphären von ihren Empfindungssphären liegt dann sehr nahe.

Man hat früher an dieser territorialen Trennung von Erinnerungs- und Empfindungsfeldern namentlich auch deshalb Anstoß genommen, weil man sich den Erregungsprozeß in den beiden Feldern etwas naiv folgendermaßen vorstellte. Erst sollte, wenn wir beispielsweise ein Licht sehen, im Empfindungsfeld eine Erregung zustande kommen. Mit dem Verschwinden des Lichts, bzw. mit dem Schluß des Auges sollte die Erregung in dem Empfindungsfeld verschwinden und dann ihr Rest in das Erinnerungsfeld „abfließen" und hier als Erinnerungsspur zurückbleiben. Eine solche Vorstellung ist sicher nicht annehmbar. Wohl aber können wir uns denken[33]), daß von Anfang an bei jedem Sinnesreiz zwei Arten von Elementen in der Hirnrinde zugleich erregt werden, Empfindungselemente und Erinnerungselemente. Die Erregung der ersteren würde —

von dem Spezialfall der sog. Nachbilder abgesehen — mit dem Verschwinden des Reizes bzw. mit dem Aufhören der direkten Wirkung des Reizes sofort abklingen, während die Erregung der Erinnerungselemente den Reiz in Gestalt einer bleibenden Veränderung überdauern würde. Formuliert man den Unterschied der Empfindungselemente und der Erinnerungselemente in dieser Weise, so ist er sehr wohl verständlich: er bietet uns ein Beispiel der Funktionsteilung, wie wir sie in der Physiologie allenthalben beobachten.

Man hat auch daran Anstoß genommen[34]), wie bei dem Wiedersehen eines Objektes die neue Erregung nun gerade ihren Weg zu denjenigen Erinnerungselementen finden könnte, welche bei dem ersten Sehen des Objekts erregt wurden. Ganz besonders mußte dies Problem des Wiedererkennens auf dem Gebiet des Gesichtssinnes fast unlösbar erscheinen, da wir auch Objekte wiedererkennen, welche bei dem ersten Sehen in ganz anderen Teilen des Gesichtsfelds lagen und daher ganz andere Empfindungselemente in Erregung versetzten als bei dem Wiedersehen. Indes auch hieraus ergibt sich bei genauerer Ueberlegung keine unlösbare Schwierigkeit[35]). Wir wissen aus zahlreichen, z. T. ganz alltäglichen Erfahrungen, z. B. aus allen Beobachtungen über Uebung, daß Nervenbahnen, welche einmal oder öfter von einer bestimmten Erregung durchlaufen worden sind, für diese Erregung besonders leitungsfähig werden. Aus einer solchen Ausschleifung oder Abstimmung der Bahnen erklärt sich auch das Wiedererkennen. Bei der fast durchgängigen Verbindung der Hirnrindenelemente untereinander könnte allerdings vom rein anatomischen Standpunkt die von dem Reiz bei seinem zweiten oder dritten Auftreten hervorgerufene Erregung der Empfindungselemente der Sehrinde zu ganz anderen, streng genommen fast allen überhaupt vorhandenen Erinnerungselementen gelangen, nach dem physiologischen Gesetz der Ausschließung wird jedoch die Erregung den Weg zu denjenigen Erinnerungselementen einschlagen, welche früher bereits von derselben oder einer ähnlichen Erregung durchlaufen worden sind und noch jetzt Sitz einer analogen Veränderung sind. Das Gefälle ist gewissermaßen in der Richtung auf die zugehörigen Erinnerungselemente am größten, und deshalb schlägt der Erregungsstrom diese Richtung ein. Alle unsere klinischen Beobachtungen lehren, daß das Wiedererkennen an die Unversehrtheit der Großhirnrinde gebunden ist. Von der Art und Weise dieses Gebundenseins hat bis jetzt nur die soeben vorgetragene Hypothese eine einigermaßen ausreichende Vorstellung zu geben vermocht.

Schließlich sprechen auch die anatomischen Tatsachen entschieden für die Annahme besonderer Erinnerungsfelder in der Großhirnrinde. Wir kennen jetzt ausser der motorischen Region viel mehr durch eine spezifische Architektonik charakterisierte Rindenfelder, als es Sinnesgebiete gibt[36]). Man kann sich kaum der Annahme verschließen, daß die außerhalb der Sinnessphären gelegenen Rindenfelder der Erinnerung und den an sie sich anschließenden Prozessen der Vorstellungsbildung — Generalisation, Isolation, Zusammensetzung[37]) — dienen, zumal es fast genau dieselben Felder sind, bei deren Zerstörung die Klinik Seelenblindheit, Seelentaubheit usw. beobachtet hat, und auch dieselben Felder, für welche die entwicklungsgeschichtliche

Methode Armut, wenn nicht völligen Mangel an Projektionsfasern nachweist.

Die spezielle Lage der einzelnen Erinnerungsfelder exakt festzustellen, ist noch keineswegs gelungen. Die vorhandenen Daten genügen nur, um die Frage der Erinnerungsfelder prinzipiell mit großer Wahrscheinlichkeit zu entscheiden. Mit dieser prinzipiellen Entscheidung ist nun auch das große Problem vergangener Jahrhunderte, der Taubenschlag des Plato und der große Recessus des Augustin aufgeklärt. Unsere latenten Erinnerungsbilder sind uns nicht als psychische Prozesse, sondern lediglich als materielle Veränderungen gegeben. Der Ausdruck „latente Erinnerungsbilder" bezeichnet ausschließlich diese materiellen Veränderungen. Man hat früher, als man die jetzt vorgetragenen psychophysiologischen Tatsachen noch nicht kannte, die latenten Erinnerungsbilder oft als „unbewußte psychische" Prozesse bezeichnet. Diese unbewußten psychischen Prozesse nehmen eine sonderbare hermaphroditische Zwischenstellung zwischen den materiellen und den psychischen Prozessen ein. Dabei ist der Ausdruck nur ein Spiel mit Worten, ein hölzernes Eisen. Wenn wir dem Psychischen sein einziges Kriterium, den bewußten Charakter, nehmen, so bleibt überhaupt nichts oder ein Widerspruch übrig. In der Tat hat auch die Lehre von den unbewußten psychischen Prozessen nie etwas geleistet, weder zur Erklärung bekannter noch zur Auffindung neuer Tatsachen; vielmehr hat sie stets nur die Tatsachen in einen mystischen metaphysischen Nebel gehüllt. Umgekehrt hat die Lehre von der materiellen Natur der latenten Erinnerungsbilder allenthalben aufklärend und fördernd gewirkt.

Damit werden wir nun aber nochmals vor die Frage gestellt, ob das Gedächtnis wirklich, wie wir eingangs annahmen, erst im Lauf der Wirbeltierreihe, vielleicht gar erst bei den Amphibien als ein ganz neues Phänomen auftritt, ob das Gedächtnis der höheren Tiere wirklich toto coelo von den Nachwirkungserscheinungen verschieden ist, welche wir auch auf den tieferen Stufen des organischen Lebens und sogar allenthalben auch im anorganischen Leben beobachten. Der Eindruck im Wachs bleibt haften. Alle Körper, insofern sie nicht vollkommen elastisch sind, gleichen eine Deformation[38]), die sie durch Druck erlitten haben, nicht vollständig wieder aus. Das Tuch[39]), das einmal in bestimmte Falten gelegt war, schlägt dieselben Falten bei einem neuen Bewegungsanstoß wieder. Die Chladnischen Klangfiguren kehren auf der mit einer Saite gestrichenen Glasplatte mit einer merkwürdigen Beharrungstendenz wieder[40]). Ist der Unterschied wirklich so wesentlich zwischen dem Hund, der, seinen Stall sehend und wiedererkennend, den Weg zum Stall einschlägt, und dem Baumstamm, der, oft vom Wind nach einer Seite gekrümmt, nun jedem neuen Windstoß aus derselben Richtung besonders leicht nachgibt? Auf Grund zum Teil ähnlicher Erwägungen sind Hering[41]) u. a. dazu gelangt, von einem Gedächtnis der lebenden Materie und der Materie überhaupt zu sprechen. Ich glaube auch in der Tat nicht, daß sich begrifflich eine scharfe Grenze zwischen den Gedächtnisvorgängen der höheren Tiere und den Nachwirkungserscheinungen der übrigen Natur ziehen läßt. Der Unterschied ist schließlich doch nur ein quantitativer. Die Abstimmung des Baums, der Chladnischen Platte usw. ist nur eine einzige, das Gehirn ist in unzähligen Richtungen abgestimmt. Das tierische und menschliche Gehirn antwortet daher auf unzählige Reize mit jeweils zugehörigen Nachwirkungserscheinungen oder Gedächtnisbildern und dementsprechenden Reaktionsbewegungen. Dazu kommt, daß auf den einzelnen Reiz oft nicht nur ein Gedächtnisbild, sondern gleichzeitig oder sukzessiv eine Reihe von Gedächtnisbildern folgt. So enorm aber diese Unterschiede quantitativ sind, so unbedeutend sind sie qualitativ. Hier wie dort Nachwirkungen im Sinne von Abstimmungen. Nur so wird es uns auch verständlich, daß die Beobachtung nicht imstande ist, scharf zu bestimmen, wo zuerst in der Tierreihe „Gedächtnis" auftritt. Dies Gedächtnis läßt sich eben nicht scharf abgrenzen gegen andere einfachere Nachwirkungserscheinungen. Nur der enorme quantitative Fortschritt der Gedächtnisleistungen in der Wirbeltierreihe wird uns von dem gewonnenen Standpunkt vergleichend-anatomisch verständlich. Die Fische haben von dem ganzen Großhirnmantel nur das sog. Rhinencephalon oder Archipallium, bei den Amphibien[42]) kommt zum ersten Mal das Pallium s. str. oder Neopallium mit seiner charakteristischen Zellarchitektonik, allerdings noch in ganz rudimentärer Form, hinzu. Bei dem Menschen ist das Archipallium auf einen kaum nachweisbaren Rest reduziert, die Großhirnrinde, wie wir sie kennen, ist fast nur Neopallium. Die funktionelle Trennung von Erinnerungsfeldern und Empfindungsfeldern steht mit dieser Weiterentwicklung wahrscheinlich in engster Verbindung.

Wo bleibt nun aber, wenn die latenten Erinnerungsbilder materielle Spuren sind, die psychische Leistung des Gedächtnisses, wo bleiben die aktuellen Erinnerungsbilder und damit der Akt der Reproduktion, den wir von dem Prozeß der Retention unterscheiden mußten? Es hat sich schon ergeben, daß diese Reproduktion an ganz bestimmte Gesetze gebunden ist. Das latente Erinnerungsbild wird aktuell oder, was dasselbe ist, wird reproduziert, erstens bei dem sog. Wiedererkennen und zweitens im Lauf der Ideenassoziation. In beiden Fällen müssen wir annehmen, daß die im Gehirn ablaufende Erregung zu den Erinnerungselementen gelangt, welche das zugehörige latente Erinnerungsbild, die zugehörige materielle Erinnerungsveränderung R_l beherbergen. Durch die neue Erregung muß dieses R_l nun in irgend einer Weise abgeändert werden, sagen wir: in R_v verwandelt werden. Dieser Verwandlung entspricht der psychische Akt der Reproduktion, dem so entstandenen R_v entspricht auf psychischem Gebiet das aktuelle Erinnerungsbild, die sog. aktuelle Vorstellung. Wie man sich auch den Mechanismus der Vorgänge der Hirnrinde denken mag: die soeben entwickelte Annahme läßt sich schlechterdings nicht umgehen. Das R_l war, können wir vom Standpunkt des sog. psycho-physischen Parallelismus auch sagen, ohne psychischen Parallelprozeß, erst dem R_v kommt ein psychischer Parallelprozeß zu. Schließlich umschreiben wir damit nur die Tatsache, daß die unzähligen Erinnerungsbilder, die wir in unserem Leben erworben haben, im einzelnen Augenblick alle mit Ausnahme des einzigen, an welches wir gerade denken, psychisch nicht existieren. Der hinzukommende psychische Parallelprozeß bei dem Erinnern ist, wie man kurz gesagt hat, ein Epiphänomen, eine Beigabe, gewissermaßen ein Luxusphänomen, das an dem ganzen Ablauf des Prozesses nichts ändert. Man kann wohl sagen, daß auch die zweckmäßigste und komplizierteste Handlung, bei der die zahlreichsten Erinnerungsbilder modifizierend mitgewirkt haben, durch das Hinzukommen des psychischen Prozesses der Erinnerung nicht verständlicher wird. Sie erklärt sich in vollkommen ausreichender Weise nach lediglich mechanischen Gesetzen.

Damit sind wir an der Grenze der physiologischen Psychologie angelangt und stehen zugleich vor dem größten Problem, das unserem Denken überhaupt gestellt ist, der Frage nach dem Zusammenhang des Psychischen mit dem Physischen. Was bedeutet es, daß mit jener so unscheinbaren Verwandlung des R_l in R_v zu dem materiellen Geschehen ein psychisches Geschehen hinzutritt? Es ist die Aufgabe der Erkenntnistheorie, dies Problem zu lösen oder seine Lösung zu versuchen und dabei den Legitimationsschein der von uns supponierten materiellen Prozesse zu prüfen. Für die Psychologie und Physiologie des Gedächtnisses ist diesseits dieses letzten Problems ein ausreichendes Arbeitsfeld gegeben. Es verdient nur als höchst bemerkenswert hervorgehoben zu werden, daß alle psycho-physiologischen Untersuchungen schließlich in dies eine erkenntnistheoretische Problem einmünden. Sie liefern Material für dies Problem, haben aber alle Ursache, zunächst ihren eigenen Weg ohne Rücksicht auf die Erkenntnistheorie zu gehen. So ist die Lehre vom Gedächtnis entstanden, wie ich sie heute Ihnen hier vortragen durfte. Allenthalben weist sie noch Lücken und Zweifel auf, aber die Umrisse des ganzen Gebäudes schimmern schon hier und da durch. Wie ich in den Eingangsworten voraussagte, birgt dies ganz alltägliche Phänomen des Gedächtnisses Rätsel, die mit den Grundproblemen der Psychologie und Physiologie zusammenhängen. Gerade der heutige Tag, der selbst der Erinnerung gewidmet ist, war vielleicht nicht ungeeignet zu einer kurzen Betrachtung dieser grundlegenden Erscheinung.

Anmerkungen.

1) Zu S. 2. Noch älter ist vielleicht die Auffassung, welche sich in der pseudohippokratischen Schrift περὶ σαρκῶν findet und vielleicht auf Alkmaeon zurückgeht (vgl. Siebeck, Geschichte der Psychologie, Gotha 1880, Teil 1, Abt. 1, S. 104). Hiernach kommt das Sehen durch das Widerscheinen des Glänzenden im Auge zustande. Offenbar fußte diese Annahme auf dem Spiegelbild der Objekte auf der Kornea. Die im Text als älteste Anschauung angeführte Ansicht findet sich in einzelnen Teilen schon bei Empedokles und Demokrit. Die sich von den Gegenständen ablösenden Bilder heissen εἴδωλα oder δείκελα. Auf diese Ansicht beziehen sich wahrscheinlich auch die Verse des Lukrez[1]) (De rerum natura. Buch 4, V. 34 ff.): „rerum simulacra . . . .: quae, quasi membranae summo dė corpore rerum dereptae, volitant ultroque citroque per auras . . .“ und (V. 48) „Dico igitur rerum effigias tenuisque figuras mittier ab rebus, summo de corpore rerum“. Auch als ἀποῤῥοαὶ (Ausflüsse) wurden die sich ablösenden Bilder bezeichnet[2]). Die weitere Verarbeitung der Bilder zu Vorstellungen hat zuerst Epikur genauer darzustellen versucht. Wahrscheinlich spiegelt sich seine Anschauung in den folgenden Versen des Lukrez wieder (l. c. IV, V. 704 ff.):

„Nunc age, quae moveant animum res accipe, et unde
Quae veniunt veniant in mentem percipe paucis.
Principio hoc dico, rerum simulacra vagari
Multa modis multis in cunctas undique partis
Tenuia, quae facile inter se junguntur in auris,
Obvia cum veniunt, ut aranea bratteaque auri.

---

[1]) Ich zitiere nach der Briegerschen Ausgabe.
[2]) So schon bei Empedokles. Vgl. Plato, Meno 76 C und Diels, Sitz.-Ber. Berl. Ak. 1884, S. 349 und Theophrast de. sensu 7.

Quippe etenim multo magis haec sunt tenuia textu
Quam quae percipiunt oculos visumque lacessunt,
Corporis haec quoniam penetrant per rara cientque
Tenuem animi naturam intus sensumque lacessunt.“

Man wird diese alten Empfindungs- und Vorstellungstheorien weniger belächeln, wenn man sie bespielsweise mit der Emissionstheorie des Lichtes vergleicht, wie sie Newton (Optice, Buch 1, Genf und Lausanne 1740) vertreten hat. Ueberhaupt stehen die damaligen Anschauungen denjenigen der modernen Naturwissenschaft durchaus nicht so fern. Wenn Parmenides lehrt, daß jeder Erinnerung ein bestimmtes Mischungsverhältnis des Kalten und Warmen entspreche und das Vergessen auf einer Störung dieses Mischungsverhältnisses beruhe, so deckt sich das im Grundprinzip ganz mit unserer heutigen Auffassung: es ist nur an die Stelle der Mischung des Kalten und Warmen der Begriff der chemischen Veränderung und an Stelle der ganz unbestimmten Lokalisation eine anatomisch bestimmte Anschauung getreten.

2) Zu S. 2. Augustins Lehre vom Gedächtnis ist nicht frei von Widersprüchen. An manchen Stellen behauptet er ausdrücklich, daß die Erinnerungsbilder nicht körperlich seien, während er an anderen Stellen anzunehmen scheint, daß die Seele ihre Gedanken dem Körper als körperliche Veränderungen einprägt. So verstehe ich wenigstens den Satz im Brief an Nebridius (Epist. IX, Bd. 33 der Patrol. lat. von Migne): „igitur ea, quae, ut ita dicam, vestigia sui motus animus figit in corpore, possunt et manere et quemdam quasi habitum facere.“ Sehr bemerkenswert sind auch Brief 6 und 7 derselben Sammlung. Vor allem aber möchte ich auf jene wunderbare, geradezu ergreifende Darstellung des Gedächtnisses hinweisen, welche Augustin in den Confessiones gibt (Buch 10, Kap. 8ff.). Hier spricht er auch von dem grandis memoriae recessus und dem „nescio qui secreti atque ineffabiles sinus ejus.“ „Penetrale amplum et infinitum“ heißt es in demselben Kapitel. Dabei scheint er hier überall den Sitz der Seele in das Herz zu verlegen. Auch den Zusammenhang des Denkens mit dem Gedächtnis hebt er bereits ausdrücklich hervor (ibid , Kap. 11). Das Gedächtnis, sagt er, besteht in einem cogere, d. h. colligere, und cogere hänge zusammen mit cogitare, wie agere mit agitare u. s. f. Ganz unerklärlich erscheint ihm, daß bei dem Hören der Worte Objektvorstellungen auftreten; er kann die „janua carnis“ nicht finden, durch welche die Objektvorstellungen

beim Hören der Worte eindringen könnten. — Auch die Erörterungen in De trinitate (Buch 11, Kap. 7ff.) sind noch heute bemerkenswert, wenn auch hier der dialektische Zwang die Darstellung stark beeinflußt. Es kommt ihm darauf an auch im menschlichen Seelenleben eine Trinität nachzuweisen: haec igitur tria, memoria, intelligentia, voluntas, quoniam non sunt tres vitae, sed una vita, nec tres mentes, sed una mens, consequenter utique, nec tres substantiae sunt, sed una substantia (ibid., Buch 10, Kap. 11). Ich bin absichtlich auf die Lehre Augustins etwas näher eingegangen, weil sie in dem sonst so ausführlichen Werk J. Sourys (Le système nerveux central, Paris 1899) nicht ausreichend behandelt ist.

3) Zu S. 2. Die Ventrikellokalisationen setzen sehr bald nach Galen ein. Galen selbst unterschied bereits die 4 Hauptventrikel, glaubte aber nur Verschiedenheiten in der Intensität der Störung nach der Verletzung der verschiedenen Ventrikel zu beobachten. Die schwersten Störungen beobachtete er nach Verletzungen des 4. Ventrikels. Es nimmt an, daß dieser das in den vorderen Ventrikeln erzeugte πνεῦμα ψυχικὸν schließlich sammelt. Die erste bestimmte Ventrikellokalisation findet sich bei Poseidonius, welcher in den vorderen Teil des Gehirns das φανταστικόν, in den mittleren (dritten) Ventrikel das λογιστικόν, in den Occipitalteil das μνημονευτικόν, also das Gedächtnis verlegt. Es ist sehr bemerkenswert, daß hier Poseidonius — wie übrigens vor ihm Galen und nach ihm fast alle Aerzte und Philosophen — die enge Beziehung des φανταστικὸν zum μνημονευτικὸν noch gar nicht ahnt. Erst viel später drang die Einsicht durch, daß die Phantasie schließlich doch nur mit Erinnerungsbildern arbeitet. Nemesius änderte die Ventrikellokalisation bereits etwas ab: er betrachtete die beiden vorderen Ventrikel als den Sitz der Empfindungen, den mittleren Ventrikel als den Sitz des διανοητικὸν und den hinteren Ventrikel als den Sitz des Gedächtnisses. Augustin selbst gab folgende Lokalisation: „Unus (nämlich ventriculus) anterior ad faciem, a quo sensus omnis, alter posterior ad cervicem, a quo motus omnis, tertius inter utrumque, in quo memoriam vigere demonstrant.“ Im übrigen scheint sich aber doch zunächst die Lokalisationslehre des Poseidonius noch behauptet zu haben. Wenigstens kehrt sie im 7. Jahrhundert bei Theophilus Protospatharius fast unverändert wieder und ist auch noch in den Lehren des großen Arztes der Schule von Salerno, Constantinus Afer, der um 1080 starb, sofort wieder zu erkennen. Constantin unterscheidet die

ventriculi prorae (vordere Ventrikel), den ventriculus medius und den ventriculus puppis (hinteren Ventrikel). Die Prora ist der Sitz des sensus und der phantasia, der ventriculus medius der Sitz des intellectus oder der ratio, die puppis der Sitz der memoria und des motus. In der letzten Lokalisation klingt die Lehre des Augustin oder vielmehr der Schriftsteller, auf welche sich Augustin stützt, durch. Für das Sicherinnern und Vergessen gibt Constantinus Afer im Zusammenhang mit der Ventrikellokalisation eine eigentümliche Erklärung. Nachdem er eine Verbindung der vorderen Ventrikel mit dem hinteren Ventrikel beschrieben hat, in welcher man leicht den 3. Ventrikel und den Aquaeductus Sylvii wiedererkennt, fährt er fort: in ipso transitu id est introitu, per quem vadit spiritus, habetur quaedam particula de corpore cerebri, similis vermi[1]), quae elevatur et deponitur in ipso itinere. Cumque fuerit haec particula elevata, aperitur foramen quod est inter commune spatium, quod jungitur ventriculis, et ventriculum posterioris cerebri. Cum vero deposita fuerit, clauditur. Cum ergo apertum fuerit foramen, transit spiritus de anteriori cerebro ad posterius, et hoc non fit nisi cum necesse fuerit recordari alicujus rei quae tradita est oblivioni, tempore scilicet quo fit cogitatio in praeteritis. Si vero foramen non fuerit apertum nec transit spiritus ad posterius cerebrum, nec recordatur homo nec aderit ei responsio eorum, de quibus interrogatur. Auf den Unterschied in der Schnelligkeit dieser Oeffnung des Lochs beruht die Verschiedenheit des menschlichen Gedächtnisses bezüglich seiner Schnelligkeit: „fit enim hoc in quibusdam tardius, et ideo fiunt tardae memoriae et tardi aspectus, ad respondendum multum cogitantes, et ideo accidit ei qui vult recordari alicujus rei, ut caput suum valde inclinet vel inclinando illud retro vertat et immotis oculis sursum aspiciat, ut haec positio vel figura sit ei quasi auxiliatrix ad foramen praedictum aperiendum et ut ipsum corpus removere possit sursum“. Wie wenig er dabei die Bedeutung des Gedächtnisses für unser Denken und unsere Einbildungskraft erkannt hat, geht daraus hervor, daß er für den in dem Mittelventrikel lokalisierten[2]) intellectus, imaginatio sive cogitatio,

---

[1]) An anderer Stelle heißt sie corpus vermiculo simile. Vielleicht ist damit die Epiphyse, vielleicht auch das Frenulum veli med. ant. gemeint. Ersteres ist mir wahrscheinlicher, weil später dieser Körper bezeichnet wird als „caruncula similis capiti uberis mulieris“ (so bei Guillaume de Conches). Die oben zitierte Stelle findet sich in „De animae et spiritus discrimine“, Baseler Ausgabe, S. 310.

[2]) Bezüglich dieser Lokalisation ist übrigens die Darstellung

providentia atque cognitio geradezu den Ausschluß des Gedächtnisses durch zeitweilige Verschließung der erwähnten Verbindungsöffnung fordert. — Besonders bemerkenswert sind auch die Lehren des Avicenna. Da Soury seine Lehre nur äußerst kurz behandelt, trage ich hier nach, daß Avicenna 4 niedere Seelentätigkeiten unterscheidet, welche man etwa bezeichnen kann als:

1. Sinnengedächtnis (el-mosawirah)[1])
2. Vorstellungsbildung (el-mofakkirah)
3. Urteilsbildung (el-wahm)
4. Gedächtnis für Urteile (el-hâfizah).

Das Sinnengedächtnis ist in den Vorderventrikeln, die Vorstellungs- und Urteilsbildung in dem vorderen Teil des Mittelventrikels, das Urteilsgedächtnis in dem hinteren Ventrikel lokalisiert.

Adelard von Bath führt zu Anfang des 12. Jahrhunderts die Ventrikel sogar direkt unter der Bezeichnung an „cellula fantastica", „cellula rationalis" und „cellula memorialis"[2]), und in dieser Form scheint die Lehre dann sehr verbreitet gewesen zu sein. Sie kehrt z. B. fast wörtlich bei Guillaume de Conches und Guillaume de St. Thierry wieder. Dabei war man geneigt, den Sitz des Gedächtnisses in den hinteren Teilen des Gehirns auf deren angebliche Kälte und Härte, zuweilen auch Trockenheit (im Vergleich zu den vorderen Teilen) zurückzuführen.

Im 13. Jahrhundert wurde es üblich, den vorderen Ventrikel in 2 Abschnitte zu zerlegen, deren Deutung nicht ganz sicher ist. Dementsprechend gestaltete sich die Lokalisation etwas komplizierter. So verlegte Wilhelm de Saliceto den sensus communis und die phantasia in den ersten Abschnitt, die imaginatio in den zweiten Abschnitt des Vorderventrikels, die cogitatio in den Mittelventrikel und in dessen Mitte die existimatio, und in den Hinterventrikel — wie jetzt immer — die memoria. Auch die sehr charakteristischen Aeußerungen des Henri de Mondeville kann ich übergehen, da

---

nicht widerspruchsfrei. So verlegt er an einer anderen Stelle die Phantasie in den Vorderventrikel.

[1]) Ich folge dabei der Darstellung von Carra de Vaux, Avicenna, Paris 1900, S. 214ff. Landauer (Ztschr. d. D. Morgenl. Ges. 1875, Bd. 29, S. 335, namentl. 387ff.) hat eine etwas abweichende Auffassung der Lehre des Avicenna vertreten.

[2]) Nach Soury (l. c. S. 340), welcher Gelegenheit hatte das Manusk. der Quaestiones naturales des Philosophus Anglorum einzusehen. Ich finde die Stelle in Kapitel 18 einer nicht näher bezeichneten alten Ausgabe.

Soury sie bereits genügend hervorgehoben hat (l. c. S. 358). Soury schildert in anschaulicher Weise, wie ungläubig damals die Chirurgen die Beobachtung des Hugo von Lucca aufnahmen, der einmal in einem bestimmten Fall eine Verletzung des hinteren Ventrikels ohne Störung des Gedächtnisses beobachtet haben wollte.

4) Zu S. 2. Die göttliche Erleuchtung spielt hier eine ganz ähnliche Rolle wie später bei dem sog. Occasionalismus.

5) Zu S. 3. Theaetet 197 D: „ἐν ἑκάστῃ ψυχῇ ποιήσωμεν περιστερεῶνά τινα παντοδαπῶν ὀρνίθων“ u. s. f.

6) Zu S. 4. Edinger, Haben die Fische ein Gedächtnis? Beilage z. Allg. Ztg. 1899, Beilage zu No. 241 u. 242 und Naturforschervers. zu München 1899.

Entscheidend sind natürlich nur experimentelle bzw. systematische Beobachtungen. Eine einzelne Beobachtung hat im allgemeinen kaum mehr Bedeutung als eine Jagdgeschichte. Selbst ein so ausgezeichnetes Werk wie dasjenige von Romanes (Animal intelligence) läßt an kritischer Sichtung gegenüber Einzelbeobachtungen noch sehr viel zu wünschen übrig. Nur wenn bei einer Einzelbeobachtung alle Nebenumstände in zuverlässiger Weise mitgeteilt sind, hat sie naturwissenschaftlichen Wert. Das Experiment hat deshalb so sehr viel größeren Wert, weil es solche Nebenumstände systematisch, so weit irgend möglich, ausschaltet.

Selbstverständlich ist dabei auch die strengste Unterscheidung zwischen Instinkthandlungen im Sinne des sogenannten Art- bzw. Gattungsgedächtnisses und Handlungen im Sinne des individuellen Gedächtnisses notwendig. Hier kommt nur letzteres in Betracht. Es handelt sich also um spezielle Erinnerungsbilder, die nur für das einzelne Individuum eine Rolle spielen. Wie weit entwickelt gerade bei den Fischen Instinkthandlungen sind, hat kürzlich Gurley gezeigt (Amer. Journ. of Psychol. 1902, Bd. 13, S. 408).

Uebrigens sind wiederholt auch bei Invertebraten echte Gedächtniserscheinungen auf Grund experimenteller Untersuchungen behauptet worden, so z. B. bei Cambarus, dem nordamerikanischen Flußkrebs von Yerkes und Huggins, Psychol. Rev. Monogr. Suppl. No. 4, Harv. Psychol. Stud. 1903, Bd. 1, S. 565. Ich verweise in dieser Beziehung namentlich auch auf die zahlreichen Kontroversen über das Vorhandensein eines individuellen Gedächtnisses bei Ameisen und Bienen. Die Extreme werden vertreten einerseits durch v. Buttel-Reepen (Sind die Bienen Reflexmaschinen? Experimentelle Beiträge zur Biologie der Honigbiene. Leipzig 1900) und andererseits durch Bethe (Biol. Centralbl. 1902, No. 7 u. 8). Sehr bemerkenswert ist auch die Arbeit von Bouvier über die Wirbelwespe (Les habitudes des Bombex, Année psych., Bd. 7, S. 1). Nach Lukas soll ein einfaches Gedächtnis bereits den Stachelhäutern zukommen (Psychologie der niedersten Tiere. Wien und Leipzig 1905).

7) Zu S. 5. Daß die Vögel ein Gedächtnis besitzen, gaben selbst die Kirchenväter zu. Vergleiche z. B. Augustin, Confess., Buch 10, Kap. 17. Eine exakte experimentelle Untersuchung des Gedächtnisses des Sperlings (Oeffnen eines Behälters, Futtersuchen in einem Labyrinth) verdanken wir James P. Porter, A preliminary study of the psychology of the English sparrow, Amer. Journ. of Psychol., Bd. 15, S. 313 u. Further study of the English sparrow and other birds, ibid., Bd. 17, S. 248. Vgl. auch Thury, Observations sur les moeurs de l'hirondelle domestique, Arch. de psych. 1902, Bd. 2, S. 1 u. Rouse, The mental life of the domestic pigeon, Harv. Psych. Stud., Bd. 2, S. 581.

8) Zu S. 5. Bei Ratten hat Watson solche Versuche angestellt (Animal education. An experimental study on the psychical development of the white rat, correlated with the growth of its nervous system, Chicago 1903) und dabei speziell auch die ontogenetische Entwicklung berücksichtigt. Er glaubt erst nach dem 12. Lebenstag Gedächtniserscheinungen beobachtet zu haben. Besonders sorgfältig sind die Versuche, welche Kinnaman bei Macacus Rhesus anstellte (Amer. Journ. of Psychol. 1902, Bd. 13, S. 98). Für den sich entwickelnden Hund stehen uns namentlich die Versuche von Wesley Mills zur Verfügung (Transact. Roy. Soc. Canada, Sect. 4, 1894, S. 31—62, namentlich S. 55). Systematische Versuche bezüglich des erwachsenen Hundes stehen noch aus. Vaschide und Rousseau (Etudes expérimentales sur la vie mentale des animaux, Rev. scient. 1903, Bd. 19, S. 737) berichten von einem Pferd, das 115 verschiedene Signale gekannt haben soll. Sonst fehlt eine exakte Untersuchung über die Ungulaten noch ganz.

9) Zu S. 5. Die erste Anregung zu systematischen Untersuchungen des kindlichen Gedächtnisses hat Preyer gegeben. Leider sind gerade für das menschliche Kind die Beobachtungen oft nicht mit ausreichender Kritik gesammelt worden. Auch die Preyerschen Mitteilungen sind durchaus nicht alle einwandfrei. Das optische Wiedererkennen von Gesichtern findet nach Preyer schon lange vor der 30. Lebenswoche statt (Die Seele des Kindes, 4. Aufl., Leipzig,

1895, S. 231). Voraussetzung ist jedoch, daß es sich um Personen handelt, welche das Kind täglich sieht. Preyer gibt mit Recht an, daß schon eine mehrtägige Abwesenheit im 1. Lebensjahr in der Regel die Erinnerungsbilder so weit verwischt, daß ein Wiedererkennen nicht mehr stattfindet. Selbst im 2., 3. und 4. Lebensjahr ist das Personengedächtnis des Kindes im Allgemeinen noch schlecht. Das Perezsche Kind, welches im Alter von 1 Jahr nach einmonatiger Abwesenheit seine Pflegerin wiedererkannt haben soll, ist als Ausnahme zu betrachten (Les trois premières années de l'enfant). Schon vor dem optischen Gedächtnis entwickelt sich wahrscheinlich das Geruchs- und Geschmacksgedächtnis, wie ebenfalls bereits Preyer richtig bemerkt hat. Seit Preyer sind zahllose Arbeiten bzw. Mitteilungen über das kindliche Gedächtnis erschienen, auf welche hier nicht eingegangen wird.

10) Zu S. 6. Damit stimmen auch die experimentellen Beobachtungen überein. Ich erinnere beispielsweise daran, daß Ebbinghaus (Grundzüge der Psychologie, 1902, S. 62) festgestellt hat, daß mit 18--20 Jahren annähernd $1^1/_2$ mal soviel Silben oder Worte unmittelbar reproduziert werden können als mit 8—10 Jahren. Er meint, daß der Hauptfortschritt hier in dem Alter von 13—15 Jahren stattfindet. Natürlich bezieht sich dies nur auf die spezielle Prüfungsmethode (Worte und Silben). Ich bin überzeugt, daß die Ueberlegenheit des Erwachsenen gegenüber dem Kind auch bei solchen Versuchen nicht auf einer leistungsfähigeren Retention des ersteren, sondern auf einer Anknüpfung zahlreicherer Assoziationen beruht. Auch bei sinnlosen Wort- bzw. Buchstabenkombinationen fehlt es an solchen nicht. Dazu kommt ferner, daß das Interesse am Versuch in der Regel bei dem Kind weniger lebhaft ist als bei den erwachsenen Versuchspersonen, welche man meistens zu solchen Versuchen herangezogen hat (Studenten u. s. f.). Bei ungebildeten Erwachsenen ist, wie ich mich vielfach überzeugt habe, die Reproduktion sinnloser Wortreihen (z. B. Zahlenreihen) der kindlichen keineswegs so erheblich überlegen.

Bei solchen Untersuchungen des Wortgedächtnisses muß natürlich auch berücksichtigt werden, daß oft schon in der Kindheit oder wenigstens in der Pubertät sich besondere Gedächtnistypen ausprägen (akustischer, visueller, motorischer Typus u. s. f.). Vgl. z. B. Netschajeff, Ueber Memorieren, Berlin 1902.

11) Zu S. 7. So schon in der 1. Sektion des 1. Teils des 1. Buchs der Treatise of human nature: „by ideas I mean the faint images of these (nämlich the impressions = Empfindungen) in thin-

king and reasoning." Ganz analog sagt Hume im Inquiry concerning the human understanding (Section 2): „Here, therefore, we may divide all the perceptions of the mind into two classes or species, which are distinguished by their different degrees of force and vivacity. The less forcible and lively are commonly denominated thoughts or ideas". Es scheint mir übrigens nicht ganz ausgeschlossen, daß auch Hume nicht nur einen Intensitätsunterschied gemacht hat. Locke hatte die Frage des Unterschieds der Empfindungen und Vorstellungen überhaupt fast unberührt gelassen. Auch bei Berkeley ist die Unterscheidung nicht scharf durchgeführt: seine ideas sind teils Empfindungen teils Vorstellungen. Von *αἰσθήσεις ἀσθενεῖς* hatte übrigens bereits Aristoteles gesprochen.

12) Zu S. 7. Leviathan, I, 1. Hobbes bezeichnet die imaginatio ausdrücklich als sensio (sein Terminus für Empfindung) deficiens (decaying sense) oder als phantasma dilutum et evanidum. Ein Nachhall dieser Lehre, übertragen in die Physiologie des Gehirns, begegnet uns bei den physiologischen Psychologen Englands im 18. Jahrhundert. So sagt Hartley (Observations on man, his frame, his duty, and his expectations, Prop. IX): „Sensory vibrations, by being often repeated, beget, in the medullary substance of the brain, a disposition to diminutive vibrations, which may also be called vibratiuncles, and miniatures, corresponding to themselves respectively".

13) Zu S. 8. Diese Undefinierbarkeit teilt der Unterschied zwischen Vorstellung und Empfindung mit den einfachen Empfindungen und Vorstellungen selbst. Wir können „blau" nur mit Bezug auf den zugehörigen physikalischen Reiz, nicht psychologisch definieren. Plato hat diesen Gedanken bereits mit aller Klarheit ausgedrückt: „*τὰ μὲν πρῶτα οἱονπερεὶ στοιχεῖα, ἐξ ὧν ἡμεῖς τε συγκείμεθα καὶ τἆλλα, λόγον* (hier = Definition) *οὐκ ἔχει . . . . οὕτω δὴ τὰ μὲν στοιχεῖα ἄλογα καὶ ἄγνωστα εἶναι, αἰσθητὰ δέ*" (Theaetet cap. 39). Eine Erklärung dieser Undefinierbarkeit hat schon Locke zu geben versucht (Essay concerning hum. understanding, III, 4, 7).

14) Zu S. 11. Ueber eine sehr ausgedehnte Versuchsreihe mit Linien und Kreisflächen, bei welcher ich selbst Versuchsperson war, wird demnächst Prof. Sakaki berichten.

15) Zu S. 14. Experimentell prüfen wir dies, indem wir ganz kurze Geschichten oder tatsächliche Mitteilungen einen Kranken nach 24, 48 usw. Stunden reproduzieren lassen.

16) Zu S. 15. Ausführlicher habe ich diese Gesetze in einem Vortrag auf der Naturforscherversammlung in Kassel 1903 entwickelt.

17) Zu S. 15. Die Faktoren, welche die Reproduktion beherrschen, sind hiermit noch nicht erschöpft. Es kommt die von mir sogenannte Konstellation hinzu. Vgl. Leitf. d. phys. Psych. 1. Aufl. S. 119, 7. Aufl. S. 186.

18) Zu S. 15. Fast alle Untersuchungen über das Verhalten des Gedächtnisses auf den verschiedenen Altersstufen lassen eine scharfe Unterscheidung zwischen Retention und Reproduktion vermissen.

19) Zu S. 16. Daneben bestanden auch chemisch-physikalische Theorien, über welche uns z. B. Aetius Auskunft gibt: „Si vero humiditas fuerit cum modica frigiditate, memoriae detrimentum et fatuitas succedunt.“ (Aetii medici Graeci contractae ex veteribus medicinae tetrabiblis, Lugduni 1549, Lib. II, Sermo 2, S. 312). Er schließt sich dabei namentlich an Galen und Rufus an. Er erteilt zugleich ausführliche therapeutische Ratschläge. Vgl. auch Anm. 1.

20) Zu S. 17. Immerhin hat Gall wenigstens bereits die alte Lehre von dem Gedächtnis als einer einheitlichen primitiven Seelenfunktion bekämpft. Es geht dies mit aller Deutlichkeit aus den folgenden Worten hervor: „Il y a plus de trente ans que j'enseigne cette diversité des mémoires; il s'en est écoulé presque autant depuis que j'ai prouvé que la mémoire ne doit pas être regardée comme une faculté primitive de l'âme; qu'elle n'est autre chose qu'un attribut général de toute faculté fondamentale; qu'il doit y avoir autant de mémoires, qu'il y a de facultés essentiellement différentes; et que par conséquent il ne peut y avoir un organe seul et particulier pour la mémoire.“ (Anatomie et physiologie du système nerveux en général et du cerveau en particulier. Bd. 4. Paris 1819. p. 15.) Freilich zeigen auch die unmittelbar folgenden Seiten, wie weit Gall noch von der Unterscheidung der einzelnen Sinnesgedächtnisse und von der Erkenntnis des Aufbaues unserer Vorstellungswelt aus diesen Sinnesgedächtnissen entfernt war. Es ist nicht uninteressant, daß in diesem Punkt Augustin der Wahrheit schon viel näher kam; er sagt nämlich ausdrücklich, daß die akustischen Erinnerungsbilder von den optischen „quasi seorsum repositi lateant“. Ganz deutliche Hinweise auf eine lokale Trennung der einzelnen Sinnesgedächtnisse enthält auch das oben zitierte Werk Hartleys.

21) Zu S. 17. Vgl. Munk, Ueber die Funktionen der Großhirnrinde. 2. Aufl. Berlin. 1890. S. 9ff. Der Munksche Vortrag ist am 23. März 1877 gehalten worden. Dabei ist anzuerkennen, daß

Ferrier in seinen Functions of the brain (die Vorrede ist vom Oktober 1876 datiert) noch etwas vor Munk sehr klar die einzelnen Sinnesgedächtnisse als lokalisierte Funktionen der Hirnrinde aufgefaßt hat (Deutsche Uebersetzung, Braunschweig 1879, S. 288ff.), aber erstens hat er in dieser Richtung keine Versuche angestellt, und zweitens nimmt er ohne weiteres das Zusammenfallen der Erinnerungsfelder und Empfindungsfelder an. Auch die noch älteren drei kleinen Abhandlungen Ferriers aus den Jahren 1873, 1874 und 1875 geben keinen weiteren Aufschluß über die „Erinnerungsfelder"; speziell ist die Stelle Proc. Roy. Soc. London, 5. März 1874, Bd. 22, S. 231 so kurz, daß sie über Ferriers Ansicht keinen sicheren Aufschluß gibt.

22) Zu S. 18. Als älteren Vertreter dieser Anschauung will ich beispielsweise hier nur Wilbrand anführen (Die Seelenblindheit als Herderscheinung usw. Wiesbaden 1887). F. Müller, der im übrigen die Trennung des optischen Empfindungsfeldes vom optischen Erinnerungsfeld als „zu einfach und grob" ablehnt, fand bereits bei seiner Zusammenstellung als häufigsten Befund in Fällen von Seelenblindheit einen Herd im lateralen Gebiet des Occipitallappens und im angrenzenden Parietallappen (Arch. f. Psychiatrie. Bd. 24. S. 856).

23) Zu S. 18. Es kommt also garnicht auf die spezielle Lokalisation des pathologisch-anatomischen Befundes, sondern zunächst lediglich auf die klinische Frage an: kommt bei einer Herderkrankung, wo sie auch liegen mag, Seelenblindheit bei absoluter Intaktheit der optischen Empfindungen vor?

24) Zu S. 19. Mauthner, Wiener med. Wochenschr. 1880. No. 26. Aehnlich hatten sich auch Goltz und Loeb ausgesprochen, die allerdings neben der Störung des Farben- und Ortssinns eine allgemeine Demenz zur Erklärung heranzogen. Ebenso hat Hitzig alle in Betracht kommenden Erscheinungen durch Empfindungsstörungen erklären zu können geglaubt (z. B. Alte und neue Untersuchungen über das Gehirn. Arch. f. Psychiatrie. Bd. 37. S. 583). Bekannt ist auch der Koenig-Siemerlingsche Versuch (Arch. f. Psychiatrie. Bd. 21. S. 284): wenn durch angefettete Brillengläser die Sehschärfe auf $^1/_{30}$ herabgesetzt wird und das Versuchszimmer monochromatisch erleuchtet wird, erkennt man einfache Gegenstände nicht mehr und benennt sie daher auch meistens falsch, obwohl die Größe der Gegenstände noch annähernd erkannt wird. Ich habe mich übrigens bei diesem Versuch — auch bei eigenen Nachprüfungen — immer darüber gewundert, wie sehr erheblich die Empfindungsstörung sein muß, um diese experimentelle Seelenblindheit

hervorzubringen. Wenn man in Betracht zieht, daß in den pathologischen Fällen von Seelenblindheit die Empfindungsstörungen oft doch viel geringer sind, so wird man den Koenig-Siemerlingschen Versuch sicher nicht gegen die Trennung des optischen Erinnerungsfeldes vom optischen Empfindungsfeld verwerten können. Andererseits spricht er auch nicht entscheidend für eine solche Trennung, denn erstens genügt zuweilen eine geringere experimentelle Herabsetzung der Sehschärfe, um das optische Wiedererkennen zu stören, und zweitens könnte man noch immer einwerfen, daß durch die Koenig-Siemerlingsche Versuchsanordnung die räumlichen Funktionen der optischen Empfindungen, welche das Objekt meistens am schärfsten charakterisieren, garnicht erheblich gestört wurden und deshalb die Leistungen noch relativ gut ausfielen, während eine solche Störung nach den klinischen Befunden in pathologischen Fällen von Seelenblindheit in der Regel nicht bestimmt auszuschließen ist. Es kann in diesem Zusammenhang immerhin erwähnt werden, daß diejenigen, welche auf grund übrigens unhaltbarer Spekulationen dem Raumsinn der Netzhaut eine von der Farbe- und Lichtempfindung getrennte Lokalisation zugeschrieben haben, diesen optischen Raumsinn wiederholt in der lateralen Konvexität des Occipitallappens lokalisiert haben, also da, wo nach besser begründeten klinischen und anatomischen Untersuchungen der Sitz der optischen Erinnerungsbilder eventuell zu suchen wäre.

25) Zu S. 20. Speziell möchte ich im Anschluß an das in der vorigen Anmerkung Gesagte nochmals nachdrücklich die Wichtigkeit einer genauen Untersuchung der räumlichen Eigenschaften der optischen Empfindungen betonen. Es muß also beispielsweise jedenfalls der Webersche Empfindungskreis auf optischem Gebiet festgestellt werden. Ferner müßte nach der Methode der richtigen und falschen Fälle die Wiedergabe von Winkelgrößen in der optischen Empfindung geprüft werden. Zu diesen beiden und manchen anderen Untersuchungen bedarf es gar keiner Apparate: man muß sie nur kennen und ihre Bedeutung verstehen.

26) Zu S. 20. Die räumlichen Eigenschaften der Empfindung spielen bekanntlich auf dem Gebiet des Gehörsinns nur eine relativ nebensächliche Rolle.

27) Zu S. 21. Es ist sehr bezeichnend, dass selbst Wundt diesen Beobachtungen eine gewisse Beweiskräftigkeit mit bezug auf die Trennung der Erinnerungsfelder von den Empfindungsfeldern zuspricht.

28) Zu S. 21. Wernicke, Der aphasische Symptomenkomplex. Deutsche Klinik. Neuropathologie. Vorl. 13. S. 486. In Betracht kommt namentlich S. 502 ff. Ich muß die Schlüssigkeit der Wernickeschen Argumentation durchaus bestreiten. Wernicke knüpft an den bekannten Freundschen Fall von reiner Worttaubheit[1]) aus seiner Klinik an. Die Untersuchung mit der kontinuierlichen Tonreihe (jedoch ohne Berücksichtigung der Perzeptionsdauer) hatte stattgefunden und ergeben, daß die bei der Sprache namentlich in Betracht kommende Tonstrecke vom eingestrichenen b bis zum zweigestrichenen g noch gehört wurde. W. fährt dann fort: „ich sehe mich also auf Grund dieser nun ermittelten Tatsachen zu der Annahme gedrängt, daß das sensorische Sprachzentrum mit der Endstätte derjenigen Projektionsfaserung zusammenfällt, welche die Tonhöhe von b' bis g'' enthält." Ich verstehe durchaus nicht, welche neu ermittelten Tatsachen zu dieser Annahme drängen. Die Bezoldsche Feststellung, daß für die Sprache die Tonstrecke b' bis g'' besonders wichtig ist, hat doch mit dem Zusammenfallen des Empfindungs- und Erinnerungsfeldes garnichts zu tun, und der Freundsche Fall spricht geradezu in erheblichem Grade gegen ein solches Zusammenfallen, da trotz der schweren Störung des akustischen Worterkennens die Empfindungsstörungen auf der charakteristischen Strecke wenigstens auf einem Ohr nicht erheblich waren. Diese Bedeutung des Freundschen Falles und ebenso des analogen Liepmannschen Falles (Psychiatr. Abhandl. herausgegeben von Wernicke. H. 7 u. 8. Breslau 1898) übersieht Wernicke ganz. Dabei möchte ich bemerken, daß nach unseren theoretischen Voraussetzungen bei der subkortikalen[2]) sensorischen Aphasie die Hörintensität infolge der partiellen Akustikuskreuzung beiderseits auf die Hälfte herabgesetzt sein müßte. Um eine solche doppelseitige symmetrische Herabsetzung nachzuweisen, ist die Feststellung der Hörweite für Flüstersprache natürlich etwa ebenso ungeeignet wie auf optischem Gebiet in den analogen Fällen die Snellenschen Proben zur Feststellung der Intensität der Gesichtsempfindungen, da sie ein Wiedererkennen, speziell sogar ein Wortwiedererkennen er-

---

[1]) Freund faßte den Fall als eine Labyrinthtaubheit auf, Wernicke und Liepmann deuteten ihn als reine d. h. subkortikale Worttaubheit. Uebrigens ist auch der otologische Befund alles eher als eindeutig (Treitel, Arch. f. Psychiatrie. Bd. 35. S. 215).

[2]) Subkortikal bedeutet hier zwischen Hörrinde und Hörchiasma (im Corpus trapezoides) gelegen.

fordert. Vielmehr hat man sich der psychologischen Methoden der Empfindungsmessung zu bedienen, also z. B. entweder die Reizschwelle oder die Unterschiedsempfindlichkeit (Fallpendel, Fallphonometer) zu bestimmen. Ich mußte auf diese Irrtümlichkeit der Wernickeschen Sätze etwas näher eingehen, weil sie leider zuweilen ohne Kritik nachgesprochen werden. Im übrigen verweise ich auf meinen Artikel Aphasie in der 4. Aufl. der Eulenburgschen Realenzyklopädie d. ges. Heilk. (1906).

29) Zu S. 22. Es handelt sich natürlich nur um die sensorische Aphasie s. str. oder zentrale sensorische Aphasie, nicht um die transkortikale sensorische Aphasie. Es darf also vor allem nicht die Frage unterlassen werden: Haben Sie das Wort schon gehört? Es werden dem Kranken außerdem laut sowohl existierende wie nichtexistierende Wörter zugerufen, und er hat bei jedem Wort — event. durch Gesten — anzugeben, ob er das Wort kennt („schon gehört hat") oder nicht.

30) Zu S. 22. Sehr instruktiv, aber weniger beweisend sind auch die partiellen und graduellen[1]) sensorischen Aphasien. So habe ich kürzlich wieder einen Fall (W. K., aufgen. 31. 10. 07) gesehen, bei welchem ein schweres Trauma an der Stelle des Contrecoup wahrscheinlich eine Blutung oder eine Kontusion im Bereiche des hinteren Abschnittes des linken Schläfenlappens hervorgerufen hatte (beginnende Stauungspapille links). Anfangs bestand das Bild einer schweren transkortikalen sensorischen Aphasie. Allmählich bildeten sich die Störungen zurück und waren nach 6 Wochen für deutsche Worte kaum noch nachzuweisen, dagegen hatte der Kranke Dänisch und Französisch — Sprachen, die er vor dem Unfall geläufig gesprochen hatte — noch fast ganz vergessen. Er wußte nicht, wie zwei auf Französisch heißt. Auf die Frage: Heißt zwei trois oder deux oder cinq oder six, blieb er die Antwort schuldig. Einzelne gewöhnliche französische Worte kamen ihm ganz fremd vor. Hier bot also im Schlußbild das normale Verhalten gegenüber deutschen Worten wohl eine ziemlich ausreichende Gewähr, daß die Gehörsempfindungen intakt waren. Der fast absolute Verlust der fremdsprachlichen Klangbilder ist wohl sicher auf eine partielle oder graduelle Mitbeteiligung der Wernickeschen Stelle selbst (im Sinne

---

[1]) Partielle Störungen nenne ich solche, die auf ein lokales Teilgebiet beschränkt sind, graduelle solche, die sich auf einen leichten Intensitätsgrad beschränken.

der zentralen sensorischen Aphasie) zu beziehen. Wollte man gegenüber einem solchen Fall das Zusammenfallen des Erinnerungsfeldes mit dem Empfindungsfeld retten, so müßte man annehmen, daß zum Schluß noch eine graduelle Läsion des letzteren, also nach unseren jetzigen Anschauungen der Heschlschen Windungen bestand, und daß die fremdsprachlichen Klangbilder nur deshalb so schwer geschädigt blieben, weil sie doch nicht so geläufig sind wie diejenigen der eigenen Sprache.

Bei der Würdigung dieser Fälle ist stets auch in Betracht zu ziehen, wie sehr schwer eine Hörstörung sein muß, um das Wiedererkennen laut gesprochener Worte ganz aufzuheben.

31) Zu S. 22. Auch hier kommt natürlich nur die zentrale, wahrscheinlich auf Zerstörung des Gyrus angularis beruhende Alexie (Cécité verbale avec agraphie von Dejerine) in Betracht. Es muß also stets gefragt werden: haben Sie diese Zeichen schon gesehen, kommen sie Ihnen bekannt vor? Die Intaktheit der optischen Empfindungen prüfe ich gern durch Nachfahrenlassen der Buchstaben. Dejerine hat in ganz ausgezeichneter Weise eine Theorie der Trennung der optischen Erinnerungsbilder und der optischen Empfindungen auf dem Gebiet der Sprache im Anschluß an einen bestimmten Fall entwickelt (Mém. Soc. de Biol., Paris 1892). Die von Niessl v. Mayendorf (Arch. f. Psychiatrie, Bd. 43) gegen Dejerine erhobenen Bedenken sind teils nicht stichhaltig, teils betreffen sie Nebensächliches. Die Unrichtigkeit der Wernickeschen Lehre (z. B. Deutsche Klinik, Bd. 6, Abt. 1, S. 518) von der bilateralen Vertretung der optischen Wortbilder hat derselbe Autor mit ausreichenden Gründen dargetan. Die klinische Kasuistik steht mit der Wernickeschen Behauptung in unversöhnlichem Widerspruch. Auch die Annahme Flechsigs (Kgl. Sächs. Ges. d. Wissensch. zu Leipzig 11. 1. 1904), wonach im Gyrus angularis optische und akustische Klangbilder zu assoziativen Komplexen höherer Ordnung verbunden sein sollen, entbehrt der Begründung; es fehlt der Nachweis, daß auch die Wortklangbilder in dieser indirekten Weise im Gyrus angularis vertreten sind. Die Schlußfolgerungen von N. v. Mayendorf in seiner schon erwähnten Arbeit kann ich aus seiner eigenen kasuistischen Zusammenstellung nicht ziehen.

32) Zu S. 24. N. v. Mayendorf behauptet S. 62 seiner soeben zitierten Arbeit, daß „die Rinde des letzteren (nämlich des Gyrus angularis) isoliert zerstört keine Wortblindheit zur Folge hat“. Ich wüßte nicht, durch welchen Fall dies irgendwie bewiesen würde.

In einer anderen Arbeit (Monatsschr. f. Psychiatrie u. Neurol., 1907, Sept., Bd. 22, S. 245) gibt derselbe Autor selbst „als ein in allen Beobachtungen (nämlich von umschriebener Läsion im Bezirk des linken Gyrus angularis) konstant wiederkehrendes Symptom“ die Alexie an.

33) Zu S. 25. Diese Anschauung habe ich bereits in der 4. Auflage (1898) meines Leitfadens der physiologischen Psychologie vertreten S. 132.

34) Zu S. 26. Namentlich Goltz und seine Schüler.

35) Zu S. 26. Ich halte auch heute noch die im Text nur angedeutete Erklärung, wie ich sie ausführlich zuerst in der 1. Auflage meines Leitfadens der physiologischen Psychologie gegeben habe, für die einzig wirklich ausreichende.

36) Zu S. 27. Ich glaube allerdings, daß man jetzt im Begriff ist, in der zyto- und myelo-architektonischen Gliederung der Großhirnrinde zu weit zu gehen. Namentlich ist die größte Vorsicht bei Verwertung großer Schnitte, z. B. durch eine ganze Hemisphäre, geboten. Da die Furchen unter sehr verschiedenen Winkeln (zur Oberfläche) in die Hirnrinde eindringen, so werden die einzelnen Windungen auf großen Schnitten unter sehr verschiedenen Winkeln, z. T. ganz schräg getroffen. Dies bedingt nicht etwa nur eine gleichmäßige Verbreiterung, sondern auch ein abweichendes Eindringen der Fixations- und Tinktionsflüssigkeiten. Man kann sich durch geeignete Kontrollversuche hiervon sehr leicht überzeugen. Es werden also Differenzen, die nicht vorhanden sind, vorgetäuscht. Man tut deshalb gut, an kleinen Stücken zu untersuchen, welche senkrecht zur Oberfläche herausgeschnitten sind, große Schnitte aber nur behufs Gewinnung von Uebersichtsbildern und großer Grenzlinien heranzuziehen. Auch sind die großen Schnitte jedenfalls nicht nur in den drei Hauptebenen, sondern auch in den schrägen Zwischenebenen anzulegen. Auch ist zu bedenken, daß manche architektonische Verschiedenheit nicht unbedingt auf einer qualitativen Funktionsverschiedenheit beruhen muß, sondern auch auf einer Verschiedenheit der Intensität der Funktion beruhen könnte.

Aber selbst wenn man allen diesen Bedenken weitgehend Rechnung trägt, bleiben noch so viel histologisch erheblich differente Rindenfelder, daß es außer den motorischen Zentren und den Sinneszentren noch Felder anderer Funktion geben muß. Für diese Felder bleiben nur die Vorstellungsfunktionen übrig. Ihnen etwa nur die abgeleiteten — z. B. aus Vorstellungen verschiedener Sinnesgebiete zusammengesetzten, allgemeinen usw. — Vorstellungen zuzuweisen, erscheint nach allen unseren physiologischen und klinischen Erfahrungen, nach welchen bei kleineren Herderkrankungen bzw. Exstirpationen durchweg nur ein Ausfall von Partialvorstellungen eines Sinnesgebietes eintritt, nicht zulässig. Noch weniger wird man diese Felder als Spiel- und Tummelplätze ansehen wollen, welche die Vorstellungen immer nur dann betreten, wenn sie gerade gedacht oder zu Urteilen verbunden werden sollen. Es scheint mir also in der Tat die weitaus natürlichste Annahme, daß die in Rede stehenden Felder Erinnerungsfelder sind.

Auch die von Ebbinghaus (Psychologie S. 537) hervorgehobene Tatsache, daß die Ganglienzellen der Hirnrinde sehr viel zahlreicher sind als die Projektionsfasern der Hirnrinde, läßt sich bis zu einem gewissen Grade in diesem Sinn verwerten.

37) Zu S. 27. Ueber diese drei Grundprozesse bitte ich meinen Leitfaden, 7. Aufl., S. 143 ff., zu vergleichen.

38) Zu S. 29. Die unerschöpflichen Vergleiche der alten Psychologen gehören hierher: *σφραγίς, ἴχνυς, κήρινον πλάσμα, κήρινον ἐκμαγεῖον* u. s. f.

39) Zu S. 29. Diesen Vergleich hat wohl zuerst Gassendi (Opp. Lugdun. 1658, Bd. 2, S. 406) in geistreicher Weise ausgeführt: Concipi charta valeat plicarum innumerabilium inconfusarumque et juxta suos ordines suasque series repetendarum capax. Scilicet ubi unam seriem subtilissimarum induxerimus, superinducere licet alias, quae primam quidem refringant transversum et in omnem obliquitatem; sed ita tamen, ut dum novae plicae plicarumque series superinducuntur, priores omnes non modo remaneant, verum etiam possint facili negotio excitari, redire, apparere, quatenus una plica arrepta ceterae, quae in eadem serie quadam, quasi sponte sequuntur.“ Schopenhauer (Ueber die vierfache Wurzel des Satzes vom Grunde. Grisebachsche Ausg., Bd. 3, S. 165) erwähnt den Vergleich ebenfalls, aber ohne Gassendi zu nennen.

40) Zu S. 29. Nach dem Vortrag war Herr Kollege Rubens so liebenswürdig, mich noch auf das „magnetische Gedächtnis“ der Physiker als einen völlig eingebürgerten Ausdruck aufmerksam zu machen, und mir einen Aufsatz von Rellstab über den Telephonograph in der Elektrotechn. Ztschr. 1901, S. 57, zu schicken. Dieser Telephonograph ist ein neuer Phonograph, der die menschliche Rede nicht durch mechanische Eindrücke auf einem plastischen Material,

sondern durch molekulare Umformungen magnetischer Art aufbewahrt. Es handelt sich also direkt um eine Verwertung des „magnetischen Gedächtnisses". Die Erfindung stammt von dem dänischen Ingenieur Poulsen. Rellstab formuliert ihr wissenschaftliches Prinzip dahin, „daß der zeitliche Verlauf von Wechselströmen registriert wird in solcher Weise, daß zu beliebiger späterer Zeit Wechselströme korrespondierender Form zurückerhalten werden können."

41) Zu S. 41. Hering, Ueber das Gedächtnis als eine allgemeine Funktion der Materie 1876.

42) Zu S. 30. Gelegentlich hat man auch den Fischen eine ganz rudimentäre Palliumbildung s. str. zugeschrieben. So sollen sogar schon bei den Cyklostomen nach Studnicka Zellen vorhanden sein, welche den Rindenzellen ähnlich sind. Bei Selachiern will Bottazzi sogar schon eine rudimentäre Zellschichtung gefunden haben. Alle diese Befunde sind jedoch noch sehr bestätigungsbedürftig. Bei den Amphibien findet sich schon eine echte Palliumrinde, die bereits verschiedenartige Zellformen zeigt und auch bereits auf Grund ihrer verschiedenen Architektonik mehrere Zonen unterscheiden läßt (vergl. z. B. Pedro Ramón y Cajal, Investigaciones micrograficas en el encéfalo de los batráceos y reptiles, Zaragoza 1894).

Lightning Source UK Ltd.
Milton Keynes UK
UKHW022117081218
333475UK00006B/135/P